45–

GUY RAYNAUD DE LAGE
PROFESSEUR A LA FACULTÉ DES LETTRES
DE CLERMONT

INTRODUCTION
A
L'ANCIEN FRANÇAIS

13e Édition

SOCIÉTÉ D'ÉDITION D'ENSEIGNEMENT SUPÉRIEUR
88, boulevard Saint-Germain
PARIS Ve

ISBN 2-7181-0932-7 13e édition
ISBN 2-7181-0905-X 12e édition

INTRODUCTION
A
L'ANCIEN FRANÇAIS

INTRODUCTION

Ce petit livre est destiné aux étudiants qui abordent l'ancien français ; il ne vise pas à remplacer les ouvrages bien connus qu'utilisent couramment des étudiants plus avancés, il ne vise surtout pas à remplacer la *Petite syntaxe de l'ancien français*, de M. Foulet.

On a voulu réunir ici morphologie et syntaxe, qu'il n'est pas toujours facile de trouver ensemble, mais qu'il n'est pas permis de séparer, au début de ces études surtout. On a limité l'exposé, bien entendu : d'abord on n'a considéré que la période « classique » de l'ancien français, entre 1150 et 1300 ; ensuite, si l'on a insisté sur la morphologie, si l'on a donné même les formes essentielles de l'anglo-normand et du picard, on a réduit volontairement la part de la syntaxe aux éléments qui sont indispensables pour une entrée en matière.

Nos anciens textes ne manquent ni de beauté ni d'intérêt ; mais ils sont d'un accès difficile aux lecteurs modernes, mal préparés à identifier les formes et à saisir la structure de la phrase ; cet effort sera toujours indispensable, on souhaiterait que cette initiation le rendît moins pénible.

La troisième édition n'apporte à ce petit manuel que quelques retouches et fort peu d'additions ; mais, sur le conseil de plusieurs collègues, on a renoncé au texte de lecture qui terminait le livre ; en revanche, on l'a pourvu d'un index aussi détaillé que possible.

Après la troisième comme après la seconde édition, l'auteur doit beaucoup de remerciements, pour des avis toujours précieux, à son collègue et ami, C. RÉGNIER, de l'Université de Lille.

remaindre, deux infinitifs pour un même verbe). Mais les scribes médiévaux n'avaient pas tant de scrupules et, bien qu'il y eût déjà des traditions « orthographiques », personne alors ne se formalise d'un peu de disparate.

Dans la plupart des cas nous sommes bien empêchés de dire si le texte que nous lisons dans un manuscrit est conforme dans sa matérialité à celui de l'auteur ; en fait les manuscrits sur lesquels sont faites les éditions modernes ne correspondent que très exceptionnellement au texte originel ; à supposer que l'auteur n'en ait pas rédigé plusieurs états successifs, le copiste qui a transcrit la version initiale a pu la modifier si elle ne correspondait pas à ses propres habitudes linguistiques, tout au moins l'habiller de ses propres graphies ; d'autres copistes, ses confrères, le recopieront à leur tour avec plus ou moins de fidélité, conservant des formes qu'ils connaissent, même si elles diffèrent quelque peu de celles qu'ils emploieraient spontanément, ou, au contraire, leur substituant des formes nouvelles. « De telles particularités, notait Bédier dans son édition de *la Chastelaine de Vergi* (p. viii), tantôt lorraines, tantôt champenoises ou picardes, se remarquent dans les anciennes copies de *la Chastelaine de Vergi*, mais elles sont fugitives, elles varient d'un manuscrit à l'autre et représentent l'usage des scribes, non nécessairement l'usage du poète. »

La plupart des éditions modernes présentent dans leur introduction un relevé des graphies et des faits de langue qui caractérisent le texte édité ; il faut, bien entendu, en tenir le plus grand compte pour éviter les bévues et aborder plus facilement l'auteur. Prenons quelques exemples, pour fixer les idées, dans le *Tristan* de Béroul et dans *Aucassin et Nicolette* ; dans *Tristan*, on lira indifféremment :

assez, *asez*, *assés*, - *dedanz*, *dedenz*, - *loin*, *luin*, *luien*, - *mais*, *maiss*, *mes*, - *neveu*, *nevo*, - *set*, *soit* (fr. mod. *sait*) ;

dans *Aucassin* :

donjon, *dongon*, - *deul*, *dol*, *duel* (fr. mod. *deuil*), - *guerre*, *gerre*, *guere*, - *cuit*, *quit*, *quid* (1re pers. du verbe *cuidier* = *croire*).

Le scribe prétend bien dans ces différents cas représenter les mêmes mots et les mêmes sons et il ne s'agit donc que de *graphies*, mais parfois il conserve des signes qui correspondent à une prononciation ancienne abandonnée (ainsi des diphtongues *ai*, *oi*, *ue* réduites à un son unique), parfois il emploie des signes apparemment divergents pour noter une même consonne (ainsi *j*, *g*, *gu*). On observe en particulier beaucoup de flottements pour la transcription de *o* fermé, plus ou moins fermé à vrai dire suivant les régions, et noté *o*, *ou*, *u* (cette dernière graphie étant anglo-normande) : *doner*, *duner* (= donner). De même la vocalisation de *l* n'a pas toujours été notée, et les scribes ont souvent maintenu des graphies comme *molt*, soit en raison de la tradition des abréviations (*mlt*), soit pour permettre au lecteur de traduire à son gré et de faire entendre *molt* ou *mout*.

La difficulté est plus grande quand un même texte présente des formes foncièrement différentes pour la même personne d'un pronom ou d'un verbe ; remettant à plus tard les justifications, les débutants se fieront alors au lexique de leur édition : pour ne prendre que deux exemples, la 3e personne du subjonctif présent de *don(ne)r* peut être, dans *Tristan*, *donst*, *doinst*, *donge*, et dans *Aucassin*, la forme « tonique » (ou « forte ») du pronom de la 1re personne, quand il est complément, peut être la forme francienne *moi* ou la forme picarde *mi*.

La ponctuation et l'usage du tréma ou de l'accent dans nos textes sont le fait des éditeurs modernes et ne remontent pas au Moyen Age, où les scribes ont pu cependant recourir à quelques signes pour guider le lecteur.

D'aussi brèves observations ne peuvent être qu'une mise en garde : il s'agit pour les étudiants d'éviter l'anachronisme et de ne pas traiter les textes d'ancien français comme les textes classiques ; il leur faut tenir compte de l'état d'esprit et des habitudes des scribes du Moyen Age. Mais la désinvolture de ceux-ci et la liberté d'une langue qui n'a pas encore été disciplinée par les grammairiens ne peuvent dispenser le lecteur moderne de la connaissance des formes et de l'étude de la syntaxe.

II. — LA PRONONCIATION

Il ne peut être question de reproduire avec sa tonalité propre la prononciation du xiie ou du xiiie siècle ; mais il faut en connaître les principaux traits et l'on peut essayer d'en donner à la lecture une version approchée, sans recherche pédante. Cet aspect des choses peut paraître moins important que la connaissance des formes écrites pour une lecture muette, mais il est impossible de dissocier absolument la morphologie de la phonétique, il est indispensable de pouvoir rendre compte des rimes dans les vers, et même il n'est pas mauvais de connaître, approximativement au moins, la physionomie orale d'une langue, qui était surtout une langue parlée, pour ne pas s'en faire une représentation radicalement fausse.

L'ancien français est une langue relativement bien notée, beaucoup mieux notée que le français moderne : en ce sens que ses graphies correspondent en gros à ses sons ; il existe cependant des notations archaïques (nous l'avons indiqué) et des influences latines ; mais c'est peu de chose en comparaison de la manie étymologisante qui sévira au xive, au xve et au xvie siècles ; aussi, en principe, toutes les lettres se prononcent.

Voyelles et diphtongues. — *E* n'est jamais muet et s'entend comme aujourd'hui encore dans le Midi, sauf naturellement dans le cas d'une élision. Les éditeurs modernes emploient l'accent aigu pour distinguer *e* tonique de *e* atone : *celés*, p. ex., mais *celes*. Dans les monosyllabes toutefois, ils n'y recourent que quand *e* tonique est tout à fait final : *ré*, ou pour éviter une confusion (*nés*, distinct de *nes*).

Les diphtongues anciennes se sont réduites pour la plupart : *au latin* très anciennement à *o* ouvert, et, dès le XIIe siècle, *ai* à *è*, *ue et eu* à *œ* (*ö* allemand) ; mais elles demeurent le plus souvent notées avec deux lettres comme aujourd'hui encore. La diphtongue *oy* toutefois n'évolue en *wè* (*ouè*) qu'au cours du XIIIe siècle avant de se réduire souvent à *è* ; au XIIe siècle on entendait donc encore à peu près le son de la diphtongue anglaise *oy* (dans *boy*).

Mais les diphtongues plus récentes, issues de la « vocalisation » de *l*, conserveront longtemps leurs deux éléments, comme aujourd'hui encore dans les dialectes d'oc où la vocalisation a eu lieu ; on prononce donc *autre* (aoutre) du latin *alterum*, - *eus* (eouss) du latin *illos*, - *coup* (cooup), du bas latin *colapu*, - et (e-a-ou) la triphtongue - *eau*, ainsi dans *beau*, du latin *bellus*.

Des voyelles et diphtongues suivies d'une consonne nasale, toutes sauf *u* seront nasalisées avant le XIVe siècle dans la langue parlée, d'après les travaux de M. STRAKA ; *a*, *e*, *o*, *ay*, *ey*, avant le XIIe ou au cours du XIIe, — *oy*, *yé*, *i* au cours du XIIIe. Mais la consonne nasale conserve cependant son articulation pendant tout le Moyen Age, comme aujourd'hui encore dans le Midi, c'est-à-dire que l'on prononce à peu près *pan* (pan-nn), *bien* (byen-nn), etc.

Consonnes. — *Ch* et *j* se prononcent (tch) et (dj) encore au XIIe siècle, tandis que *c* et *g* devant les voyelles *e* ou *i* se prononcent respectivement (ts), (dj) : *cire* (tsire), *genoil* (djenoil) ; au cours du XIIIe siècle, ces consonnes se réduiront comme dans la langue moderne respectivement (tch) à (ch), (ts) à (s), (dj) à (j).

L « mouillé » n'est pas prononcé (*ye*) comme aujourd'hui, mais comme *gl* en italien et *ll* en espagnol classique ; ainsi *fille* se prononce (fillye).

R est roulé comme encore aujourd'hui ici et là en France et comme en espagnol.

X n'est généralement qu'une façon d'écrire *us* : ainsi *chevax* = *chevaus* (prononcé au XIIIe siècle chevaos ou chevaous).

Z en principe vaut *ts* comme en allemand, mais comme on l'a vu, *ts* se réduit à *s* au XIIIe siècle.

Toutes les consonnes écrites se font entendre en principe ; toutefois *s* s'est effacé à l'intérieur des mots, devant consonne, au cours du XIe et du XIIe siècles (*isle* se prononce *ile*), et, *à la finale*, derrière une consonne et devant la consonne initiale d'un mot suivant, *s* et *t* d'abord (*bon*(*s*) *chiens*, *vin*(*t*) *cors*), puis les autres consonnes. Mais quand cette consonne finale se trouve à un arrêt de la voix, en fin de vers par exemple, elle résiste mieux et se maintient : c'est le cas de *r*, finale d'infinitif, d'autant qu'il suit une voyelle ; des rimes du type *amer* : *amer* (infinitif : adjectif) qu'on trouve dans RUTEBEUF (Th 218-9, 429-30) apparaissent encore chez CORNEILLE.

Les indications qu'on vient de lire ne sont qu'approximatives, mais déjà assez complexes pour qu'il soit difficile de les faire passer dans la lecture ; on s'en inspirera sans tomber dans une affectation ridicule.

III. — LA DÉCLINAISON

Avant d'aborder l'étude du nom, de l'adjectif et du participe, de l'article et des pronoms, il faut insister sur l'importance de la déclinaison ; le français moderne ne l'a conservée que dans les pronoms personnels et relatifs (voir p. 45), et c'est trop peu pour nous permettre d'en juger. En ancien français elle rend possible une grande souplesse dans l'ordre des mots, et c'est son principal intérêt ; quand nous lisons dans BÉROUL

Li rois Tristran manace (v. 770),

en raison du jeu du cas-sujet et du cas-régime, nous saisissons immédiatement que c'est le roi Marc qui menace Tristan ; mais ce rapport de l'un à l'autre n'a pas exigé comme dans la langue moderne l'ordre « grammatical » sujet-verbe-complément, et l'ancienne langue aurait pu adopter un tout autre ordre que celui qu'elle a préféré ici ; ainsi la déclinaison, en compensation de ses servitudes, libère la langue d'autres servitudes, lui donne de la variété et de l'expressivité, ou tout au moins fournit à l'orateur ou à l'écrivain la possibilité d'être varié et expressif. La ruine de la déclinaison entraînera des modifications profondes dans la phrase française.

La déclinaison française est un instrument bien simplifié par rapport à la déclinaison latine dont elle dérive : deux genres seulement, le neutre ayant pratiquement disparu, et deux cas, issus l'un du nominatif, le cas-sujet (abrégé CS), l'autre de l'accusatif, le cas-régime (abrégé CR). Quelques débris demeurent des autres cas de la déclinaison latine :

ainsi *vendredi* (par son premier élément), la *Chandeleur* représentent le premier un génitif singulier, le second un génitif pluriel : *Veneris*, *candelorum* ; *Aix* correspond à un ablatif pluriel, *Aquis*. Tout cela est fort peu de chose ; en fait la déclinaison repose sur le cas-sujet et le cas-régime. Toutefois, si simplifiée qu'elle ait été, on tend aujourd'hui à penser qu'elle a été maintenue de façon très volontaire et consciente et qu'elle survit dans les textes littéraires bien au-delà de ce qu'elle a vécu dans l'usage, en admettant même qu'elle n'ait pas toujours été le fait des lettrés. De toute façon *s* « de flexion » était indispensable à l'identification du cas-sujet masculin dans ce système d'opposition entre cas-sujet et cas-régime et la déclinaison était condamnée lorsque cet *s* a cessé d'être entendu, comme on l'a vu, devant une consonne de mot suivant à l'intérieur d'un groupe de mots. Au XIVe siècle, il ne sera plus question de déclinaison, même dans les textes littéraires, sauf dans la région picarde.

IV. — LES NOMS

A. — LES NOMS MASCULINS

Il faut distinguer trois déclinaisons : la première groupe presque tous les noms masculins, la seconde quelques noms issus de formes latines en *-er* et terminés par *-e* en français, la troisième une cinquantaine de noms qui ont une double forme au singulier et qui sont issus d'imparisyllabiques latins.

1re DÉCLINAISON :

	Singulier	Pluriel
	—	—
CS	(*li*) *murs*	(*li*) *mur*
CR	(*le*) *mur*	(*les*) *murs*

N. B. 1) L'infinitif employé comme nom appartient à cette déclinaison et reçoit un *s* au CS singulier.

2) Certains noms terminés par *-s* ou *-z* au CR sont indéclinables et ne varient pas ; ainsi *braz*, *cors*, *mois*, *païs*. Même observation pour les noms féminins analogues.

2e DÉCLINAISON :

	Singulier	Pluriel
	—	—
CS	(*li*) *pere*	(*li*) *pere*
CR	(*le*) *pere*	(*les*) *peres*

N. B. 3) De même *frere*, *gendre*, *livre*, *maitre*, *ventre*, *vespre*, et quelques-autres.

4) De bonne heure cette déclinaison s'assimile à la précédente et l'on peut trouver au CSS *li pere* ou *li peres*.

3e DÉCLINAISON :

	Singulier	Pluriel
	—	—
CS	(*li*) *lerre*	(*li*) *larron*
CR	(*le*) *larron*	(*les*) *larrons*

N. B. 1) C'est le déplacement de l'accent du nominatif latin (accentué sur *a* : *latro*) à l'accusatif (accentué sur *o* : *latronem*) qui explique l'écart entre les deux formes franciennes, *a* et *o* ayant subi un sort différent suivant qu'ils étaient accentués ou non.

2) De même, *abes*, *abé* — *ancestre*, *ancessor* — *ber*, *baron* — *bris*, *bricon* — *buvere*, *buveor* — *chantere*, *chanteor* — *compain*, *compagnon* — *emperere*, *empereor* — *enfes*, *enfant* — *fel*, *felon* — *gaignere*, *gaigneor* — *garz*, *garçon* — *glout*, *glouton* — *mentere*, *menteor* — *niés*, *nevou* — *pechiere*, *pecheor* — *prestre*, *provoire* — *salvere*, *salveor* — *sire*, *seignor* — *traïtre*, *traïtor*, — *trichierre*, *tricheor* — *trovere*, *troveor* — *venere*, *veneor* — *etc*. De même dans un certain nombre de noms propres d'origine latine ou germanique comme *Charles*, *Charlon* — *Guene*(*s*), *Ganelon* — *Gui*(*s*), *Guion* — *Hugues*, *Hugon* — *Lazare*(*s*), *Lazaron*, *etc*.

3) Aux noms à double forme, il faut joindre deux noms où la différence ne tient pas au déplacement de l'accent :

	Singulier	Pluriel
	—	—
CS	(*li*) *cuens*	(*li*) *comte*
CR	(*le*) *comte*	(*les*) *comtes*
CS	(*l'*) (*h*)*om*, *on*, *uem*	(*li*) (*h*)*ome*
CR	(*l'*) (*h*)*ome*	(*les*) (*h*)*omes*

4) De bonne heure, cette déclinaison a été contaminée par la première : l'une de ses formes a prévalu et souvent a reçu au CSS *s* de flexion ; ainsi on pourra trouver *sires* au CSS, et au pluriel *prestre*(*s*).

Accidents phonétiques devant *s* de flexion

Au cas-sujet singulier et au cas-régime pluriel, la consonne finale du radical est sujette à certains accidents du fait qu'elle se trouve devant une autre consonne, *s* de flexion ; il en est encore ainsi en français dans quelques mots, avec une prononciation correcte qui différencie par exemple le singulier *un œuf* (où *f* s'entend) du pluriel *des œufs* (où *f* s'efface). En ancien français, la différence est entre les cas en *s* et les cas sans *s*.

Il suffira de donner des exemples pour le singulier ; aux noms, on joindra quelques adjectifs, où le problème se pose évidemment de même :

a) les labiales *p*, *m*, *f*, la vélaire *c* (= *k*) tombent devant *s* :

CS	*cous*	*vers*(<*vermis*)	*vis*(<*vivus*)	*clers*(<*clericus*)
CR	*coup*	*verm*	*vif*	*clerc*

b) les dentales *t*, *d* et *n* appuyée se combinent avec *s* en *z* :

CS	*venz*	*nuz* (<*nudus*)	*jorz*
CR	*vent*	*nu*	*jor*(*n*)

c) il en est de même des palatales *n* et *l* mouillées (= gne et lye) :

CS	*poinz*	*genouz*
CR	*poign*	*genoil*

d) mais par ailleurs *l* mouillé est traité comme *l* : ces deux consonnes se « vocalisent » devant *s* comme devant les autres consonnes (sauf à disparaître tout à fait derrière les voyelles palatales *i* et *u*) :

CS	*chevaus*	*beaus*	*cous**	*nus* (<*nullus*)
CR	*cheval*	*bel*	*col*	*nul*
CS	*fiz* (<*filius*)	*vieuz* (<*veclus*)	*conseuz*	
CR	*fil*	*vieil*	*conseil* (<*consilium*)	

N. B. Rappelons qu'au cours du XIIIe siècle, *z* se réduit au son de *s*.

B. — LES NOMS FÉMININS

Trois déclinaisons encore : la première groupe les noms terminés par *e*, sauf très rares exceptions ; la seconde, les noms à terminaison masculine ; la troisième recueille, avec *suer* (CR *seror*), cinq ou six noms du type *none*, (CR *nonain*) et des noms propres qui ont des formes différentes au cas-sujet et au cas-régime.

Mais tous les noms féminins, sans aucune exception, n'ont qu'une forme au pluriel ; elle comporte un *s* de flexion aux deux cas.

1re Déclinaison :

	Singulier	Pluriel
	—	—
CS / CR	(*la*) *fille*	(*les*) *filles*

2e Déclinaison :

	Singulier	Pluriel
	—	—
CS	*Amor*(*s*) — (*la*) *cité*(*z*)	(*les*) *amors* — (*les*) *citez*
CR	*Amor* — (*la*) *cité*	

N. B. — Dans les textes *picards*, on peut trouver *cités* (CS), et *citet* (CR) où se maintient aussi le *t* latin des mots en *-tas*, *-tatem*.

(*) Peut être aussi le CS de *coup*.

3e DÉCLINAISON :

	Singulier	Pluriel
CS	*Berte* — (*la*) *none*	(*les*) *nonains*
CR	*Bertain* — (*la*) *nonain*	

N. B. — A cette déclinaison appartiennent *ante*, *antain* — *taie*, *taien* -- *pute*, *putain*, mais surtout des noms de rivière et des noms de femme. On peut joindre à cette déclinaison un nom en réalité fort différent :

CS	(*la*) *suer*	(*les*) *serors*
CR	(*la*) *seror*	

La double forme s'explique ici comme dans les masculins du type *lerre*, par un déplacement de l'accent.

TABLEAU DE LA DÉCLINAISON DES NOMS

Masculins

Singulier	I		II	III
CS	*murs*	*braz*	*pere*	*lerre*
CR	*mur*	*braz*	*pere*	*larron*
Pluriel				
CS	*mur*	*braz*	*pere*	*larron*
CR	*murs*	*braz*	*peres*	*larrons*

Féminins

Singulier	I	II	III
CS	*fille*	*Amor(s)*	*none*
CR	*fille*	*Amor*	*nonain*
Pluriel			
CS / CR	*filles*	*amors*	*nonains*

C. — SYNTAXE DU NOM

Le genre

Que l'on considère le genre sous le rapport de la morphologie ou de la syntaxe, il ne sera pas l'occasion de grandes difficultés si l'on se souvient que le genre a pu se modifier de l'ancien français au français moderne, et que par exemple des mots comme *amour*, *art*, *comté*, *évangile*, *évêché*, *honneur*, *poison*, *reins*, *serpent* sont des féminins normalement, tandis que *affaire*, *dent*, *image*, *isle*, *ombre*, sont généralement masculins. Il semble qu'il y ait plus de noms passés du féminin au masculin que du masculin au féminin. Toutefois il y a lieu de contrôler dans un dictionnaire en cas de doute.

Atteintes a la déclinaison

Il n'est presque pas de texte sans faute contre la déclinaison ; sa ruine a été plus ou moins rapide suivant les dialectes, mais elle est atteinte dès le XIIe siècle. C'est en anglo-normand qu'elle a cédé d'abord, puis en francien où, *dans la langue parlée*, sa ruine est consommée à la fin du XIIIe siècle : les dialectes du Nord et de l'Est, ainsi le picard, l'ont maintenue un peu plus longtemps. De toute façon, le jeu de l'analogie a tendu constamment à la simplifier, la première déclinaison masculine absorbant les deux autres, et la déclinaison féminine, plus simple, absorbant finalement la déclinaison masculine ; des deux formes du cas-sujet et du cas-régime, c'est dans la langue moderne celle du cas-régime qui l'a emporté généralement, parce que c'était la plus employée.

Les éditeurs de textes ne manquent pas de signaler dans leurs introductions la plus ou moins grande fidélité à la déclinaison des manuscrits qu'ils ont utilisés. Ainsi M. Jeanroy, éditeur du *Jeu de saint Nicolas* de Jean Bodel : « La déclinaison est remarquablement conservée » (p. xi) : il s'agit là d'un texte picard du début du xiiie siècle et d'un manuscrit des environs de 1300, transcrit probablement à Arras. M. Lecoy, éditeur du *Chevalier au barisel*, texte francien teinté de picard (xiiie s.), manuscrit du début du xive siècle, n'y relève qu'une seule faute. M. Ewert, éditeur des *Lais* de Marie de France, texte anglo-normand de la fin du xiie siècle, manuscrit anglo-normand du milieu du xiiie, signale un grand nombre d'irrégularités dans la déclinaison : quelquefois le cas-sujet au lieu du cas-régime, mais beaucoup plus souvent l'inverse.

Voici quelques exemples de ce genre de fautes, relevées dans le *Tristan* de Béroul (texte du xiie s., manuscrit de la seconde moitié du xiiie) :

Formes du C.S.S. :

fel, employé au C.S.P. au lieu de *felon* (*v*. 121) ;
fiz, — C.R.S. — — — *fil* (*v*. 124) ;

Formes du C.R.S. :

felon, empl. au C.S.S. — — — *fel* (*v*. 470) ;
nain, — — — — — *nains* (v. 335) ;

Ces exemples pourraient être multipliés. Les noms du roi Marc et de Tristan prennent très rarement *s* de flexion au cas-sujet ; parfois le nom et l'épithète se trouvent à des « cas » différents : *li roi Mars* (v. 1969) au lieu de *li rois Mars*.

Emploi des cas

Cas-sujet : *a*) sujet et attribut du sujet, apposition au sujet :

Je sui uns clers (Th 297).
Li perdres m'est honte et domages

= la perte est une honte et un dommage pour moi (Th 61).

b) apostrophe :

« *Sire...* « *Rois...* « *Biaus sire...*

Cas-régime : *a*) complément d'objet et attribut de l'objet, apposition à l'objet :

On m'apeloit seignor et mestre (Th 48).

b) complément indirect avec toutes les prépositions :

Li rois l'arsist por son seignor

= le roi le ferait brûler à la place de son seigneur (Bé 969).

O ton nevo soz cel pin fui

= je fus avec ton neveu sous ce pin (Bé 404).

El chaceor monte et s'en torne

= il monte sur son cheval de chasse et s'en va (Bé 3366).

c) complément « absolu », c'est-à-dire employé sans préposition, dans trois emplois différents :

α) COMPLÉMENT DE NOM : il traduit des rapports de parenté, de possession, de dépendance ; d'habitude il suit immédiatement le nom auquel il se rapporte, quelquefois il le précède ; ce complément est toujours un singulier et désigne toujours une personne :

le fiz sainte Marie — la fille ma mere —es braz mon ami — les noces le roi — le pié l'ermite — l'ermitage frere Ogrin, etc...

On le rencontre encore aujourd'hui dans beaucoup de noms de lieu du type *Vic-le-Comte*, *Château-l'Evêque*, etc. Mais cette construction est battue en brèche dès l'ancien français par la construction moderne avec préposition.

N.B. 1) Exceptionnellement le complément précède :

les noveles de la roi *cort*

= les nouvelles de la cour du roi (Bé 2831).

la Dieu *merci*

= grâce à Dieu

la Dieu *ancele*

= la servante de Dieu (Th 658).

2) Le pronom *autrui* (CR « tonique » de *autre*) est toujours placé avant le nom dont il est le complément (encore chez Marot) :

l'autrui joie

= la joie d'autrui (Lan 257).

(ceux) *qui enquierent autrui amors*

= ceux qui s'informent des amours d'autrui (Cha 958).

3) Au pluriel, on recourt toujours à la préposition :

la fole des deus rois et de lor barnage

= la foule des deux rois et de leur baronnage (Bé 3880).

Ce complément a valeur « subjective » au sens des exemples suivants : *la pitié de son seignor* (*Bé* 1478), c'est la pitié dont le maître est *l'objet* de la part du chien ; *la pitié son seignor* serait *le sentiment éprouvé* par le maître. De même, *le Jeu d'Adam* désigne une pièce de théâtre dont Adam fait l'objet tandis que *le Jeu Adam* désigne l'œuvre d'un poète du nom d'Adam.

— On emploie la préposition *à* :

1) en cas d'indétermination : *li chien a un des trois* (*Bé* 1681), *cort à roi* (Bé 2173) ;

2) avec des noms qui ne sont pas des noms de personne : *le cri au chien* (Bé 1530) ;

3) et même parfois (et ce sera de plus en plus) avec des noms de personne :

la teste au mort (Bé 1736),
Fiz estes au roi Uriien (Yv. 1018),
fille au vavasor (Er 1073),
la fille au seignor (Yv. 5411).

— On emploie la préposition *de* :

1) avec les noms géographiques et d'origine :

la terre de Cornoualle (Bé 1471),
fille de roi (Bé 839).

2) avec les noms de chose et d'animal :

le cri du chien (Bé 1600).

3) avec les termes de valeur générale :

cors d'ome.

4) dans une acception partitive : voir p. 35.

— Certains rattachent à cet emploi le type *prodome* (à l'origine *pro d'ome*, *pro* étant le même mot que *preux*) bien vivant encore dans *diable d'homme*, *coquin de valet*, etc.

5) avec un pronom personnel :

le douçor de li

= sa tendresse (Auc xxiv, 79).

l'âme de moi

= mon âme (Cha 333).

β) SUBSTITUT DE COMPLÉMENT INDIRECT D'OBJET : il ne s'agit guère ici que de noms désignant des personnes et très librement construits dans des formules qu'il est difficile de classer :

Di ton nevo

= dis à ton neveu (Bé 649).

Sire, foi que je doi vo cors

= foi que je vous dois (Ni 192).

Quant le grigneur avoir qui fust
Commandas un home *de fust*

= du moment que tu as confié la plus grande richesse qui fût à un homme de bois (Ni 1206-7).

Ce puet l'empereor *peser*

= cela peut être pénible pour l'empereur (Cli 5634).

Amistés
Porte ten seigneur *de par mi*

= porte mes amitiés à ton maître (Feu 762-3).

Et fist sen keval *le gambet*

= et fit un croc-en-jambe à son cheval (Feu 739).

Faisons l'oste *ke bel li soit*

= agissons envers l'hôte de façon qui lui convienne (Feu 1076).

γ) COMPLÉMENT CIRCONSTANCIEL :

surtout de *temps*, comme en français moderne :

le jor devant *l'autrier*
= la veille = l'autre jour

l'endemain de la saint Jehan (Bé 2147).

mais aussi d'*allure* et même de *direction* :

grant erre, *grant alleüre*, etc.

Port a Artur toz les galoz
= porte-le à Artur au galop (Bé 653).

la droite voie
= tout droit

les destoletes
= par les chemins de traverse

la rivière granz saus s'en fuit
= le long de la côte, en bondissant il s'enfuit (Bé 961).

V. — L'ARTICLE

ARTICLE « DÉFINI » :

<table>
<tr><th></th><th>Masc. : Singulier</th><th>Pluriel</th><th>Fém. : Singulier</th><th>Pluriel</th></tr>
<tr><td>CS</td><td>li</td><td>li</td><td rowspan="2">la</td><td rowspan="2">les</td></tr>
<tr><td>CR</td><td>lo, le</td><td>les</td></tr>
</table>

■■ ANGLO-NORMAND : On peut trouver la forme *lu*, au lieu de *le*.

■■ PICARD : L'article féminin peut prendre les formes du masculin au singulier : *li mer*, *le porte*.

Elision : toutes les formes du singulier peuvent s'élider devant voyelle ; *li* (art. plur.) ne s'élide pas.

Enclise : sauf très rares exceptions, les articles *le* et *les* se soudent à la préposition qui les précède quand il s'agit de *à*, *de*, *en* : le résultat de l'enclise peut varier beaucoup suivant les textes, selon que la vocalisation de *l* est notée ou non :

a + le > al, au	a + les > as, aus, aux
de + le > del, du, dou	de + les > des
en + le > el, eu, ou, u	en + les > es

N. B. 1) En *picard*, *le* n'est pas sujet à l'enclise quand il est employé au féminin : *en le vie* (Ni 104).

2) *Ou* < *en* + *le* a survécu dans la langue moderne par confusion avec *au* : M. DAUZAT cite l'exemple : *en mon nom et au sien* ; cette confusion remonte à l'ancien français. Mais *ou* se retrouve encore au XVIe siècle sous la forme *on* ; on lit chez RABELAIS : *on corps*.

3) L'enclise se produit même entre une préposition et un article qui n'ont pas de lien syntaxique, lorsque le complément de l'infinitif se trouve rejeté entre la préposition qui commande l'infinitif et l'infinitif même dont il dépend :

> *Car canques vous nous verrés faire*
> *Sera essamples sans douter*
> Del *miracle représenter*

= car tout ce que vous nous verrez faire sera image de la représentation du miracle (Ni 108-110). (littéralement : *de* représenter *le* miracle).

> *Le soleil est cause* des *vens faire lever et abessier*

= le soleil fait naître et calmer les vents (Meteores). littéralement : *de* faire lever et calmer *les* vents).

Article « indéfini »

Masc. :	Singulier	Pluriel	Fém. :	Singulier	Pluriel
—	—	—	—	—	—
CS	*uns*	*un*	}	*une*	*unes*
CR	*un*	*uns*	}		

SYNTAXE DE L'ARTICLE

Article « défini »

Au chapitre du nom, il figure entre parenthèses ; c'est qu'il n'est pas automatiquement exprimé comme dans la langue moderne ; il s'en faut de beaucoup.

L'article défini s'applique toujours à un nom déjà connu : *li rois*, c'est celui dont on a déjà parlé ; on l'emploie même parfois où la langue moderne emploierait un démonstratif (déterminatif), ce qui n'est pas surprenant puisqu'il est issu du démonstratif latin :

l'ame Uterpandragon son pere,
et la son fil et la sa mere (Yv 663-4).

c'est-à-dire « l'âme de son fils et celle de sa mère », étant donné la valeur du cas-régime absolu.

« *Rois, si grans tresors ne fu onques* :
il a passé l'Octevïen »

= celui d'Octovien (Ni 1404-5).

On l'emploie devant un nom de nombre pour exprimer une fraction d'un tout :

Vëant moi a les deus ocis,
Et demain ocirra les quatre

= devant moi, il en a tué deux et demain il tuera les quatre autres (Yv 3866-7) (il y a en effet six chevaliers qui sont prisonniers du géant, à l'origine).

Non-expression de l'article défini. — On ne l'exprime pas :

a) quand le nom est attribut :

Les oroilles sont voie et doiz
par ou s'an vient au cuer la voiz

= les oreilles sont la voie et le canal par où la voix s'en vient au cœur (Yv. 165-6).

b) devant les noms abstraits, personnifiés ou non, et il en sera ainsi encore au XVIe siècle :

Car Amors ne se puet celer

= car Amour ne peut se dissimuler (Bé 575).

Avoec se merla jalousie,
Desesperanche et derverie

= Jalousie, désespoir et folie s'y mêlèrent (Feu 159-60).

c) ni devant les noms de pays, ni habituellement devant les noms de peuple ; et cet usage se maintient partiellement jusqu'au XVIe siècle :

Enfers ne me plest pas

= l'enfer ne me plaît pas (Th 422).

Droit vers Gales s'en sont alé (Bé 2129).
Asenblé sont Corneualeis (Bé 877).
Ensi cerca trestout Poitau

= ainsi il parcourut tout le Poitou (Ba 619) :

et le nom du Poitou est suivi d'une énumération de seize noms de province dont un seul est précédé de l'article.

d) dans un grand nombre de locutions qui ont valeur générale (et dont certaines se sont conservées : crier misère, livrer combat p. ex.), particulièrement devant quelques noms d'usage fréquent : *guerre comencier*, *merci crier*, *messe oüir*, *aumosne faire*, etc.

e) quand le complément est introduit par une préposition, il est fréquent aussi que l'article ne soit pas exprimé :

(*Amor*) *ne nel lesse an lit reposer*

= et Amour ne le laisse pas reposer au lit (Cli 613).

Article « indéfini »

Cet article s'applique à un individu distinct et la qualification d'indéfini lui convient mal. La première fois qu'on parle du héros dans *la Chastelaine de Vergi*, on l'appelle *un chevalier* (v. 19), ensuite *li chevaliers* (v. 21) ; c'est encore ainsi que l'on procède en français.

Un garde parfois quelque chose du sens du latin *unus* et signifie alors « un seul », « un même » :

Nous sommes d'une compaignie (Feu 947).

Au pluriel, il n'est pas courant, mais il s'applique au sens collectif, soit à une paire d'objets, soit à une série d'objets de même sorte ; cela est encore possible au XVIe siècle :

Uns ganz de voirre ai je o moi

= j'ai une paire de gants (Bé 2032).

Tristan unes forces aveit

= T. avait des ciseaux (Fo Ox 205).

Od uns eschiés se deduiëent

= ils se divertissent avec un jeu d'échecs (Mi 200).

Ainsi encore *uns degrez* sera un escalier, *uns vallés*, une domesticité, etc.

Non-expression de l'article indéfini. — On ne l'exprime pas :

a) quand le nom a pour épithète des mots comme *tel*, *autre*, *même* :

Qar j'ai tel *duel c'onques le roi*
Out mal pensé de vos vers moi...

= car j'ai un tel chagrin que le roi vous ait soupçonné à cause de moi... (Bé 109-110).

Quant je serai en autre *terre* (Bé 245) :

et pas davantage devant ces mêmes mots dans leur emploi de pronoms :

Por autre *amer et moi laissier*

= pour en aimer une autre et m'abandonner (Cha 770).

b) dans des propositions qui comportent une indétermination : conditionnelles, interrogatives, négatives, et dans cette mesure seulement :

Ne saroie terre nommer

= je ne saurais nommer une terre (Ba 636).

Vent ne cort ne fuelle ne trenble

= pas un souffle ne court, pas une feuille ne tremble (Bé 1826).

c) dans des formules de portée générale, par exemple quand on considère une espèce :

Nos n'avons nul mestier de chien

= nous n'avons nul besoin de chien (Bé 1559).

Ne gerrai mais dedenz maison

= je ne coucherai plus sous un toit (Bé 1001).

— Le pluriel servant fréquemment aux affirmations générales, on s'y passe facilement d'article :

Marc a orelles de cheval (Bé 1334).
Car en no païs n'a monnoie
Autre que pierres de moulin

= car en notre pays il n'y a pas d'autre monnaie que des meules de moulin (Ni 375-6).

Or a paines, or a anuis

= à présent il a des peines, des chagrins (Ba 581).

Article partitif

Il apparaît rarement en ancien français, et au XVIe siècle encore son emploi sera plus restreint qu'aujourd'hui :

Il redemande vïande
= il redemande des vivres (Bé 3957-8).

O lui venoient dui vaslet
Qui portoient et pain *et* vin
= avec lui venaient deux valets qui portaient du pain et du vin (Er 3120-1).

En tous tans voloit car *mangier*
= en tout temps il voulait manger de la viande (Ba 47).

— Mais la préposition partitive *de* s'emploie après les adverbes de quantité (*assez*, *trop*), après *point*, ou même parfois seule avec un sens très fort :

Çaianz n'a point de *nostre roi*
= notre roi n'est pas ici (littéralement : ici il n'y a pas trace de notre roi) (Ené 4990).

Encontré a de *son seignor*
= le chien a rencontré la trace de son maître (Bé 1498).

N. B. L'article partitif moderne est très rare ; il apparaît pourtant :

Molt sont el bois del *pain destroit*
= dans le bois ils sont bien privés de pain (Bé 1644).

VI. — ADJECTIFS ET PARTICIPES

On peut répartir les adjectifs et les participes entre trois déclinaisons : la première comprenant les adjectifs dont le masculin et le féminin sont différents, en particulier les participes passés ; — la seconde, les adjectifs qui ont la même forme au cas-régime masculin et au féminin, en particulier les participes présents ; — on peut classer dans une troisième déclinaison les comparatifs de type latin (dit « synthétiques ») qui présentent une double forme au singulier.

Première déclinaison

Masc. :	Sing.	Plur.	Fém. : Sing.	Plur.	Neutre sing.
	—	—	—	—	—
CS	*bons*	*bon*	*bone*	*bones*	*bon*
CR	*bon*	*bons*	*bone*	*bones*	*bon*

Modifications subies par la consonne finale du radical :

a) devant *s* de flexion : se reporter aux noms ; on notera surtout l'alternance qui résulte de la vocalisation de *l* devant consonne :

CSS *beaus* (Picard : *biaus*)
CRS *bel*

b) due aux différences phonétiques qui apparaissent entre masculin et féminin ; surtout :

1) à la sourde *f* du masculin correspond au féminin la sonore *v* devant *e* :

sauf, *sauve*

2) à la sourde *c* issue de *g* latin correspond *-ge* au féminin :

lonc, *longe*

3) à la sourde *c* issue de *c*, *k latin ou germanique* *-che* au féminin :

sec, *seche*

4) à un *z* du masculin, *-ce* au féminin (où *c* se prononce d'ailleurs comme *z* : voir p. 13) :

tierz, *tierce*

N. B. 1) Le neutre n'est employé que comme attribut d'un pronom neutre singulier ou d'un infinitif :

Et certes mout m'est bel *que vos*
Estes li plus cortois de nos

= et cela me plaît fort que vous soyez le plus courtois (Yv 73-4).

2) Les adjectifs qui seraient terminés par un groupe de consonnes *tr*, *dr* comportent une voyelle d'appui, si bien que le masculin ne diffère alors du féminin que par *s* de flexion : *autres*, *autre*.

3) Les adjectifs terminés par *-s*, *-z* au CR sont indéclinables comme les noms analogues, mais ils ont une forme féminine : *tierz*, *tierce*.

4) Des influences analogiques ont amené la réfection d'un bon nombre d'adjectifs masculins et féminins dont l'évolution phonétique avait séparé les formes et qui se sont rejoints.

Deuxième déclinaison :

Masc. :	Singulier	Pluriel
	—	—
CS	*granz*	*grant*
CR	*grant*	*granz*

Fém. :	Singulier	Pluriel	Neutre sing.
	—	—	—
CS / CR	*grant*	*granz*	*grant*

N. B. 1) De très bonne heure l'analogie a joué en faveur de la première déclinaison, mais par ailleurs on trouve encore pendant plusieurs siècles (et jusqu'à aujourd'hui) des féminins semblables aux masculins (*grand mère*) et des adverbes qui les attestent (*pesamment*).

2) Au CSS féminin, on trouve assez souvent par analogie du masculin *s* de flexion.

3) Le « gérondif » (précédé ou non de *en*) est une forme verbale invariable (voir plus loin : Accord).

Troisième déclinaison :

Masc. :	Singulier	Pluriel
	—	—
CS	*graindre*	*graignor*
CR	*graignor*	*graignors*

Fém. :	Singulier	Pluriel	Neutre sing.
	—	—	—
CS	*graindre*	*graignors*	*graignor*
CR	*graignor*		

N. B. 4) Comme dans le cas des noms analogues, c'est un déplacement de l'accent d'une forme latine à l'autre qui explique la différence entre les deux formes franciennes.

Comparatifs et superlatifs :

La très grande majorité des adjectifs a des comparatifs analytiques (c'est-à-dire formés avec *plus*) ; sur le type *graindre-graignor*, relevons *maire-maior*, *mendre-menor*, *mieudre-meillor*, *pire-peior*.

Mais le superlatif ne se distingue pas toujours du comparatif par l'article ; c'est le contexte qui éclaire le lecteur : dans *la Chastelaine de Vergi* (v. 691).

cele del mont que plus het,

c'est « la femme qu'elle hait le plus au monde » ;

Cil est ocis qu'il plus dotot

= il est mort celui qu'il redoutait le plus (Bé 1746).

N. B. On notera que *plus* n'a que le sens quantitatif en ancien français :

Cele ne tint à lui plus plait (Cha 103)

signifie : « Elle ne lui tint pas plus longue conversation, elle ne lui en dit pas davantage », et non pas : elle ne lui parla plus désormais, elle ne lui adressa plus jamais la parole.

SYNTAXE DE L'ADJECTIF ET DU PARTICIPE

Place dans la proposition

Cette place est fort libre en ancien français, même pour l'adjectif attribut ; cependant l'adj. épithète précède très généralement le nom. Quant au participe, il est souvent disjoint de l'« auxiliaire ».

Accord

Accord de l'adjectif. — Il n'y a lieu de signaler que le cas où l'adjectif a valeur d'adverbe : il s'accorde et cela durera encore au xvie siècle :

toz quites (deux CSS) = tout à fait quitte.

Marot écrit : *nouvelle pâle* : c'est « nouvellement pâle », celle qui vient de pâlir ; voir encore en français : *toutes grandes ouvertes*, *fraîche éclose.*

Accord du participe présent. — Il ne se distingue pas de l'adjectif bien qu'il puisse à l'occasion recevoir un complément d'objet.

Le « gérondif » est invariable ; cette forme apparaît :

a) avec le verbe *aller* et quelques autres verbes de mouvement dans des locutions connues :

Cil...
va derriere aus trestout cantant
et cil vont devant lui plourant (Ba 148-9).

b) suivie d'un « sujet » (qui est au CR) :

Voiant toz ceus *de la contree*
= à la vue de tous ceux de la contrée (Cha 923)

Oiant toz *qui oïr le vost*
= l'entendirent tous ceux qui voulurent l'entendre (Cha 928).

c) après les prépositions *en* (comme aujourd'hui), *à*, *sur*, ou même sans préposition.

Comme l'infinitif, il peut être substantivé après

préposition et précédé dans ce cas de l'article ou d'un possessif :

a mon vivant (Cha 331)

ACCORD DU PARTICIPE PASSÉ :

— Féminin employé avec *estre* : accord moderne Féminin employé avec *avoir* : accord habituel, qui ne se fait pas nécessairement quand le participe précède, mais très généralement :

Issue *fu de l'ovreor*

= elle était sortie de l'atelier (Er 442).

J'eüsse eüe *l'eveschié*

= j'aurais obtenu l'évêché (Th 306).

On lit de même dans *Yvain* :

Il n'ot pas une archiee alee

= il ne s'était pas encore éloigné d'une portée d'arc (v. 3443).

— Masculin employé avec *estre* : participe attribut au CS.

Masculin employé avec *avoir* : participe complément au CR ; l'accord se fait généralement quand le complément dont il est l'apposition précède le participe :

Molt ont lor haubers desmailliez

= leurs hauberts sont largement démaillés (Er 961) (sur la valeur « d'aspect » qui engage à traduire par le verbe *être*, voir plus loin p. 122 — littéralement : ils ont leurs hauberts qui sont largement démaillés).

— Neutre employé avec *estre* : il n'a pas *s* de flexion.

Complément du comparatif

La proposition complément est introduite par *que*

Plus vous amoie la moitié
que *ne fesoie moi meïsmes*

= je vous aimais moitié plus que moi-même (Cha 761-3).

— mais généralement le pronom (quelquefois le nom) par la préposition *de* ; il en sera encore ainsi au XVIe siècle :

Mes je ne quier meillor espee
de *celi que j'ai aportee*

= mais je ne cherche pas une meilleure épée que celle que j'ai apportée (Er 625-6). — Voir p. 141.

VII. — LES NUMÉRAUX

Les trois premiers noms de nombre se déclinent ; *vingt* et *cent*, seulement quand ils sont multipliés, et encore pas toujours.

La déclinaison de *un* est déjà connue.

Deux :

	Masculin	Féminin
	—	—
CS	*dui, doi*	*dous, deus*
CR	*dous, deus*	

Tous les deux :

	Masculin	Féminin
CS	*andui, andoi, ambedui, ambedoi*	*ambesdous, ambesdeus, ansdous, ansdeus*
CR	*ansdous, ansdeus, ambesdous, ambesdeus*	

Trois :

	Masculin	Féminin
CS	*trei, troi*	***treis, trois***
CR	*treis, trois*	

Vingt et *cent :*

	Masculin	Féminin
CS	*vint, cent*	*vinz, cenz*
CR	*vinz, cenz*	

On trouve concurremment les formes *mil* (< *mille*) et *milie* (< *millia*).

Syntaxe

1) L'ordinal est plus répandu en ancien français qu'en français moderne : on dira : *lui tierz, soi quart*, c'est-à-dire avec deux, trois compagnons (et cela

jusqu'au XVIe s.) ; on parlera de même du *tiers livre* ou du *quart livre*, de *Louis douzième*, de *Charles Quint*, au XVIe siècle encore.

2) Sur l'emploi de l'article devant un nom de nombre pour exprimer une fraction d'un ensemble, voir plus haut p. 31.

3) L'accord peut ne pas se faire au pluriel si le nom de nombre est terminé par *un*.

VIII. — LES PRONOMS - A. Les pronoms personnels

			1re pers.	2e pers.	3e pers. Masc.	3e pers. Fém.
Singulier	CS		jo, je, ge **(gié)**	tu	il	ele (el)
	CR	direct			*le*	*la*
		indirect			*li*	*li*
		forme unique	*me* **moi**	*te* **toi**	**lui**	**li (lié)**
Pluriel	CS		nos	vos	il	eles
	CR	direct			*les* **eus**	*les* **eles**
		indirect			lor, leur	lor, leur

Autres pronoms à la 3e personne { le réfléchi *se* **soi** ; les adverbes pronominaux *en* et *i*.

N. B. — 1) Dans ce tableau et dans les deux suivants, les formes *faibles* des pronoms sont en caractères *italiques*, les formes **fortes** en caractères **gras**, et en caractères romains celles pour lesquelles la question ne se pose pas, en ce sens qu'elles sont indifféremment faibles ou fortes. Sont entre parenthèses des formes dialectales qui peuvent être d'aire assez large ou peu caractérisée. En dehors de ces 3 tableaux, l'italique signalera simplement les formes de l'ancien français.

2) Fonctions des formes fortes : voir p. 52 ss. ; disons dès à présent qu'à la troisième personne, tandis qu'*au pluriel* **eus** (ou **eles**) est compl. d'objet direct, — *au singulier*, **lui** (ou **li**), « forme unique », peut être compl. d'objet direct ou, comme aujourd'hui, substitut de compl. indirect d'objet (compl. d'attribution), — *mais d'autre part* que l'ancien français, *après préposition*, emploie les formes fortes de *toutes les personnes*, à l'exclusion des formes faibles.

N. B. 1) On ne confondra pas *el*, forme réduite de *ele*, avec le mot neutre *el* (issu d'un bas-latin **ale*) et qui signifie « autre » :

Son hernois prist, ainz ne fist el = il commença par s'équiper (Bé 3610) (littéralement : il prit son équipement, il ne fit rien d'autre avant).

2) Le neutre est représenté par deux formes qui sont aussi masculines : CS *il*, CR *le*.

3) On peut déjà considérer comme un pronom (de la 3e personne) le CS de *home* : *l'on*, *on* (*l'an*, *l'en*).

■■ ANGLO-NORMAND : *Jeo* est une graphie de *je*.

■■ PICARD : Spécifiquement picardes sont les formes suivantes (formes fortes et formes faibles distinguées comme plus haut) :

Singulier	1re pers.	2e pers.	3e pers. Masc.	3e pers. Fém.
CS	**jo, jou**			
CR	**mi**	**ti**		*le*
Pluriel CR			**aus**	
Réfléchi			**si**	

L'ÉLISION

Elle est familière au français moderne, mais il faut noter que :

a) *je* peut ne pas s'élider ; dans ce cas, on a affaire à une forme forte (tonique) ;

b) des formes fortes comme *moi*, *toi*, *soi* s'élident pourtant devant *en* et *i* plus souvent qu'aujourd'hui :

Lessiez m'an pes

= laissez-moi en paix (Er 1278).

Et poise m'en por sa franchise...

= et cela me fait de la peine en raison de sa noblesse (Bé 1565).

c) les formes faibles (atones) s'élident constamment :

— élision de *le*, *la* :

si l'est tantost alez veoir

= il est aussitôt allé la voir (Cha 521) ;

même après un impératif, dans les textes qui offrent une forme faible à cette place.

— élision de *li* (seulement devant *en*) :

Le serement en tel maniere
l'en fist, li dus la foi en prist

= il lui en fit ainsi le serment que le duc reçut (Cha 238-9).

L'Enclise

Comme on l'a vu pour l'article, les formes faibles du pronom personnel : *le*, *les*, prennent appui sur un monosyllabe précédent : *je*, *ne*, *se* ou *si* (adv), *que* ou *qui*, et se soudent à lui. L'enclise n'est jamais obligatoire et elle s'est faite moins fréquemment du XIIe au XIIIe siècle.

Voici la liste des formes que l'on peut rencontrer à partir de *le* et *les* :

je + le > gel, jel	je + les > ges
ne + le > nel, nul, nu (nou)	ne + les > nes

se + le > sel si + le > sil, sel se + les > ses
que + le > qel qui + le > quil qui + les > quis

On trouvera de même :

qui + i > qu'i qui + en > quin

Par exemple dans la *Chastelaine de Vergi* :

sel nomma (v. 126)
= si le nomma

jel deïsse (v. 320)
= je le deïsse

Je nel veoie (v. 754)
= je ne le veoie.

SYNTAXE DU PRONOM PERSONNEL

Atteintes a la déclinaison

Dès le XIIe siècle, on trouve des formes de CR employées comme sujet ou apposition de sujet :

S'irons tornoiier moi et vos
= nous irons jouter, vous et moi (Yv 2501)

Moi et Yseut, que je voi ci,
en beümes : demandez li !
= Yseut, que je vois ici, et moi, nous en bûmes, demandez-le-lui (Fo Ber 174-5).

Les confusions d'autre part sont fréquentes entre les deux formes de CR **lui** et **li**, dont la première est masculine et la seconde féminine :

Sai que voudra a lui parler (Bé 657),
c'est Tristan qui « voudra parler » à Iseut, on attendrait **li** pour la désigner.

« Rois, por li vois », ce dist Brengain (Bé 523) c'est Tristan que Brengain va trouver, on attendrait **lui**.

Cette deuxième « faute » est moins courante que la substitution à **li** de **lui**.

Expression du pronom sujet

L'ancien français exprime peu le pronom sujet ; à la deuxième et à la troisième personne en particulier, il s'en passe sans difficulté, et surtout quand l'ordre des mots ferait passer ce sujet derrière son verbe. De même, dans le cas de l'impersonnel, *il* neutre ne s'impose que lentement et nous avons encore des formules (« n'importe ! » p. ex.) où nous ne l'exprimons pas.

Dans le vers suivant, aucun des deux sujets n'est exprimé, ni *je*, ni *il* :

Or ai Dieu renoié, ne puet estre teü

= à présent j'ai renié Dieu, cela ne peut être tu (Th 388).

— Pourtant, au début d'une proposition, pour éviter de commencer par une forme faible comme un auxiliaire ou un pronom atone, on recourt au pronom sujet. D'autre part, *je*, *tu*, *il*, formes fortes, peuvent être disjoints du verbe qu'ils précèdent (s'ils suivent, c'est immédiatement), ou même employés isolément :

Et il, *sans point de deporter.*
lor fist arriere reporter
le tresor...

= et lui, leur fit sans délai reporter le trésor (Ni 91-93)

« *Parler* ? *dyable* ! Jou, *de quoi* ? »
= Parler, diable ! moi, de quoi ? (Ba 230).

Contrairement à notre usage littéraire, l'ancien français rappelle parfois un sujet déjà exprimé, mais loin du verbe, — ou encore annonce un sujet postposé, en utilisant un pronom sujet pléoastique :

« *Il ne set k*'il *fait li varlés* »
= il ne sait ce qu'il fait, le garçon (Feu 542).

— Devant un impératif enfin, le pronom sujet est quelquefois exprimé en ancien français :

Mais vous *plourés et je rirai*
= mais pleurez et moi je rirai (Ba 103).

N. B. Un cas particulier de l'emploi isolé des formes fortes du pronom personnel au CS se rencontre dans l'affirmation et la négation ; derrière un mot affirmatif ou négatif (*o* — *nen* ou *non*) se place le pronom approprié à la personne qui répond :

O je (oie), *o* tu, *o* il — *non* ou *nen* + je, tu, il.

« *Crois le tu, frere* ? — O je, *dous peres.* » (Ba 953).

La troisième personne l'a emporté sur les autres et *oui* est issu de *oïl* comme *neni* de *nenil.*

Oie est très correctement employé dans le *Jeu de la Feuillée*, mais dans Béroul :

« *Sire, estïez vos donc el pin* ?
— *Oïl, dame, par saint Martin* »

= Seigneur, étiez-vous donc dans le pin ? — Oui... (v. 475-6).

On attendrait *o je* ou *oie.*

Expression du pronom complément

Devant un pronom qui fait fonction de complément indirect, *li*, *lui*, *lor* (leur), il est courant que le pronom complément d'objet, *le*, *la*, *les*, ne soit pas exprimé ; c'est un phénomène d'« écrasement » qui persiste encore dans la langue populaire et que la langue écrite a connu au moins jusqu'au XVIIe siècle :

> ....et *li commande*
> *qu'ele* li *die maintenant* (Cha 112-3),

au lieu de : *qu'ele le li die* ;

> « *J'avoie fet molt grant folie*
> *quant tolue* li *avoie* »

= j'avais fait une grande sottise en la lui ôtant (Th 291-2)

au lieu de : *tolue la li avoie* (il s'agit de *la baillie* de Théophile).

— Le pronom complément peut n'être pas répété devant un second verbe :

> *Mes vos, la vostre grant merci,*
> *m'i onorastes et servistes*

= mais, et je vous en ai beaucoup de gré, vous m'y avez honoré et servi (Yv 1012-13)

même, un seul pronom peut se présenter pour deux verbes de construction différente :

> *Meïsmes la fille au seignor*
> *le sert et porte grant enor*

= même, la fille du seigneur le sert et lui témoigne beaucoup d'honneur (Yv 5411-12).

— A l'inverse, il existe un emploi pléonastique du

pronom qui annonce ou qui résume un complément plus long :

Quant li roys l'*ot ensi prové,*
le haut miracle du bon saint,
lors commanda...

= quand le roi eut ainsi fait l'expérience du grand miracle du bon saint... (Ni 96-8).

Formes fortes et formes faibles

A. — La répartition habituelle des formes fortes et des formes faibles est la suivante : *avant le verbe*, on emploie les formes *faibles* du pronom :

que a cele eure me *perdroit...*

= qu'il me perdrait dès que... (Cha 813)

les formes *fortes*, *après le verbe et après les prépositions*, comme aussi *devant l'infinitif et le participe* (et le gérondif) :

Et quant j'ai avant perdu lui

= et puisque je l'ai perdu auparavant (Cha 815).

B. — Ainsi que le montrent ces deux exemples, à deux vers de distance, la langue a le choix entre la forme faible ou la forme forte du pronom personnel, qui ont, dans ces deux propositions, *avec le même verbe, la même fonction* ; c'est pour des raisons d'expressivité, c'est-à-dire de style, que le poète a préféré ici l'une et là l'autre : au v. 815, à la formule plus courante qu'il avait employée plus haut, il substitue le pronom postposé et la forme forte, pour appeler l'attention sur celui que la châtelaine aime si tendrement.

N. B. Ces mêmes raisons entraînent même parfois la substitution d'une forme forte à une forme faible *avant le verbe* :

> *Et cil tantost que ça que la*
> *se departent, si li font voie.*
> *Et lui est mout tart que il voie*
> *des iauz celi que del cuer voit*

= et ceux-là aussitôt s'en vont de côté et d'autre et lui font place ; pour lui, il lui tarde de voir des yeux celle qu'il voit du cœur (Yv 4342-5) :

Li serait la forme attendue au v. 4344 comme au vers précédent : il s'agit toujours du héros, mais le poète a choisi ici une forme d'insistance, la forme forte. Elle se trouve devant le verbe plus particulièrement quand celui-ci est un impersonnel (c'est le cas ici) (voir aussi :

> *dont aus ne chaut*

= dont ils ne se préoccupent pas) (Yv 2739)
et derrière une conjonction ou même un relatif ; voir encore :

> *Qui moi moustrez samblant d'amor* (Cha 579).

Les considérations qui suivent pourraient du reste intervenir aussi.

C. — Le choix de la forme forte peut tenir en effet également à la répugnance de l'ancienne langue à ouvrir la proposition par une forme faible (atone) ; comme la langue moderne, elle préférera alors *Donnez-moi* à *me donnez*.

Mais quand la présence initiale d'un mot comme *car*, *or*, *si*, *ne* (de défense) permet d'éviter cet inconvénient, on dira très bien : *Car me donez*, *Ne me donez*, *Or me dites*, *Si li plot*, etc.

N. B. 1) Ce motif, comme le précédent, peut expliquer la présence inhabituelle d'une forme forte avant le verbe :

Moi n'an covient il plus proiier

= il ne faut pas m'adresser de plus longues prières (Yv 3992)

Moi doiz tu dire ton afere (Er 2694)
Moi devés vous forment amer (Ni 364)

2) Il explique encore qu'on ait recours à un moyen radical pour ne pas commencer par la forme faible : on la place derrière le verbe, particulièrement quand le pronom sujet se trouve postposé :

Volés me vous blasme acueillir ?

= voulez-vous jeter le discrédit sur moi ? (Ni 1323)

Senescal, gabes me tu donques ?

= sénéchal, te moques-tu de moi ? (Ni 1403)

3) Mais, surtout semble-t-il dans les textes dramatiques du XIIIe siècle, plus proches de la langue parlée, on rencontre parfois l'ordre moderne, avec une forme faible initiale. Dans les deux premiers des exemples qui suivent, la présence de *Comant* ? ou de *Fi, mauvais* ! au début du vers peuvent faire passer plus facilement l'anomalie :

« *Comant* ? *Me queriiez vos donques* ? »

= me cherchiez-vous ? (Yv 6681)

« *Fi, mauvais* ! *Me cuidiés vous prendre...* ? »

= pensiez-vous m'attraper ? (Ni 1502)

Il n'en est pas de même dans les exemples ci-dessous :

« *Me met ele sus sen enfant* ? »

= m'attribue-t-elle son enfant ? (Feu 281)

« *Me siét il bien li hurepiaus* ? »
= me va-t-elle bien la coiffure ? (Feu 590)

D. — Nous avons vu qu'après préposition c'est la forme forte que l'on trouve, mais précisément quand l'infinitif dépend d'une préposition, le pronom son complément est rejeté sous la forme forte entre cette préposition et l'infinitif :

..........(il) *ne fina hui*
de moi proier au lonc du jor
= il ne cessa de me prier d'amour tout le jour (Cha 126-7)

ou bien, en l'absence de préposition, il se place devant le verbe qui commande l'infinitif, mais cette fois à la forme faible :

Mes ele ne la pot veoir (Cha 729)

Cette double observation, qui vaut aussi pour le complément du participe, correspond à un état de la langue qui se perpétuera jusqu'au XVIIe siècle.

N. B. 1) C'est seulement quand l'infinitif a valeur d'impératif qu'il peut être précédé d'une forme faible :

Ne te recroire mie !
= n'abjure pas ta foi ! (Ni 1278)

2) Quand le verbe principal est à l'impératif, le pronom personnel complément de l'infinitif demeure devant l'infinitif, et même à la forme faible pour la troisième personne ; c'est ce que nous voyons encore en français moderne.

3) Enfin, après une préposition, on recourt plutôt qu'au réfléchi au pronom personnel de la troisième

personne, si le pronom est bien complément de l'infinitif :

Et mout entent a lui celer

= et s'applique bien à se cacher (Cha 391)

tandis que si le pronom dépend effectivement de la préposition, on peut maintenir le réfléchi :

Et fist celui a soi venir

= et il le fit venir auprès de lui (Cha 151)

Autres pronoms de la troisième personne

— *On* (cas-sujet de *home*, voir p. 18), a tout à fait sa valeur moderne ; mais *en* et *i* peuvent se rapporter à des personnes comme à des choses :

Ele set bien qu'en tel solaz
en *fera......*
mieus son voloir (Cha 562-4)

il s'agit ici du duc dont la duchesse médite de faire ce qu'elle veut.

Acordez m'i (Bé 524) signifie : Réconciliez-moi avec lui ;

Bien m'i acort (Cha 644) : Je donne mon accord à cela.

— *En* et *i*, formes faibles, se trouvent toujours après l'infinitif :

Car en Bretaigne aler en doi

= car je dois m'en aller en Bretagne (Cli 4266)

N. B. — Notre *il y a* peut non seulement se présenter en ancien français sans pronom sujet, mais même se réduire au verbe (*a*), en particulier quand il s'agit d'exprimer le *temps* (et non pas le *lieu*) :

Trois anz a bien

= il y a bien trois ans (Bé 2303)

S'avoit tierz jor que la reïne
estoit de la prison venue

= c'était le troisième jour que... (Yv 4740-1)

ou encore quand un complément de lieu est déjà exprimé dans la proposition :

A la cort avoit trois barons

= il y avait à la cour... (Bé 581)

Estrange nature a en chien

= le chien a un étrange naturel (Fo Be 485)

Ordre des pronoms personnels

Quand voisinent deux pronoms personnels compléments, c'est celui qui est complément d'objet qui précède l'autre :

« *Rois, ves le chi* : *je* le t'*amain* »

= Roi, le voici ; je te l'amène (Ni 1415)

« *Di* le me *donques* ! » (Ba 750).

B. LES POSSESSIFS

Possessifs de l'unité

Masculin		1re pers.	2e pers.	3e pers.
Sing.	CS	*mes* **miens**	*tes* **tuens**	*ses* **suens**
	CR	*mon* **mien**	*ton* **tuen**	*son* **suen**
Plur.	CS	*mi* **mien**	*ti* **tuen**	*si* **suen**
	CR	*mes* **miens**	*tes* **tuens**	*ses* **suens**
Féminin				
Sing.	CS, CR	*ma* **meie, moie**	*ta* **toue, teue, toie**	*sa* **soue, seue, soie**
Plur.	CS, CR	*mes* **meies, moies**	*tes* **toues, teues, toies**	*ses* **soues, seues, soies**
Neutre (singulier) comme le CR masculin				

■■ Anglo-normand : peut offrir au masc. sing. CS *mis, tis, sis*

■■ Picard : — — — CR *men, ten, sen*

fém. sing. CS et CR *me, te, se*

miue, tiue, siue

POSSESSIFS DE LA PLURALITÉ

Masculin	1re pers.	2e pers	3e pers.
Sing. CS / CR / Plur. CS	nostre	vostre	lor, leur
CR	*noz* **nostres**	*voz* **vostres**	lor, leur
Féminin			
Sing. CS et CR	nostre	vostre	lor, leur
Plur. CS et CR	*noz* **nostres**	*voz* **vostres**	lor, leur

■■ PICARD : on peut avoir au
- masc. sing. CS *nos, vos*
  - CR *no, vo*
- plur. CS *no, vo*
  - CR *nos, vos*
- fém. sing. CS et CR *no, vo*
- plur. CS et CR *nos, vos*

Syntaxe du possessif

L'emploi des formes atones ou faibles est le même en ancien français qu'en français moderne, mais celui des formes fortes ou toniques est plus étendu dans l'ancienne langue ; elle peut comme aujourd'hui leur donner :

a) une valeur nominale : « les siens », c'est-à-dire ses parents, ses hommes ;

b) une valeur d'attribut :

il ert toz miens (Cha 789).
La dame est moie et je sui suens (Er 4800)

Mais, à la différence du français moderne, elle les utilise aussi comme adjectifs, avec l'appui de ce que les grammairiens appellent aujourd'hui un « déterminatif » :

li miens cuers (Cha 773)
la nostre redemption (Ba 82).

La distinction des formes adjectives et des formes pronominales ne sera pas encore faite au XVIe siècle.

N. B. 1) Au lieu du possessif féminin élidé

Je n'irai point, fait il, par m'ame (Ba 396)

on peut trouver déjà le possessif masculin qui ne s'élide pas.

2) L'ancien français préfère souvent, sans intention bien marquée semble-t-il, à l'adjectif possessif, le pronom personnel complément du nom :

La biautez de li m'aluma (Er 3634)
Seur le cors et l'ame de moi (Cha 333).

3) Valeur « objective » parfois du possessif :

Rois, ton traïtour, ves le chi !

= voici celui qui te trahit (Ni 1507).

C. LES DÉMONSTRATIFS

Il y a en ancien français deux démonstratifs à déclinaison complète (mais dont le neutre est rare) : *cist* (issu de *ecce-iste*) et *cil* (< *ecce-ille*) ; plus un démonstratif neutre isolé (< *ecce-hoc*) : *ço* (forme forte), *ce*.

		Masculin		Féminin		Neutre	
Sing.	CS	*(i)cist*	*(i)cil*	*(i)ceste* (CS et CR)	*(i)cele* (CS et CR)	*(i)cest* (CS et CR)	*(i)cel* (CS et CR)
	CR	*(i)cest > cet, ce**	*(i)cel, ce**				
	CR	*(i)cestui*	*(i)celui*	*(i)cesti*	*(i)celi*		
Plur.	CS	*(i)cist*	*(i)cil*	*(i)cestes* / *(i)cez > ces* (CS et CR)	*(i)celes* (CS et CR)		
	CR	*(i)cez > ces*	*(i)cels*, *(i)ceus*				

■■ Anglo-normand : *Ceo* est une graphie de *ce*.

■■ Picard : La consonne initiale du démonstratif peut être notée par *c*, comme en francien, ou par *ch* (qui n'est pas une graphie de *c*, mais correspond à une différence réelle dans le traitement de la consonne latine).

— Mais les formes suivantes sont propres au picard :

Masc. sing. CS : *chis* (= *cist*) — *chils*, *chis*, *chieus*, *chius* (= *cil*)
Masc. plur. CR : *ces* plutôt que *cez* — *chiaus* (= *ceus*)
Neutre : *chou* (forme forte) à côté de *che*.

(*) A la suite de M. Yvon, on peut croire que *ce* n'est pas issu de *cet*, mais que c'est une forme analogique de l'article : *ce*, *ces* comme *le*, *les*.

SYNTAXE

Atteintes a la déclinaison

Confusion fréquente entre *cestui* et *cesti*, *celui* et *celi*, les quatre formes fortes de cette déclinaison, dont on arrive à confondre les genres.

Répartition des démonstratifs

L'ancien français ne distingue pas une forme adjective et une forme pronominale, une valeur démonstrative et un emploi déterminatif (comme devant un relatif par exemple) ; bien qu'il existe dès l'origine une tendance à préférer *cist* comme adjectif et une tendance plus nette encore à préférer *cil* comme pronom, on emploie encore au XIIIe siècle *cil* et *cele* comme adjectifs, plus rarement *cist* et *ceste* comme pronoms :

Roys, chil Mahom qui te fist né
= Roi, ce Mahomet, ton créateur (Ni 115)

Chestes ont chent diavles ou cors
= celles-ci ont cent diables au corps (Feu 318).

— Dans le principe, *cist*, qui était employé surtout dans le dialogue, correspondait aux deux premières personnes tandis que *cil*, qui dominait dans le récit, correspondait à la troisième ; la nouvelle répartition (adjectif-pronom) a pu affaiblir cette distinction ancienne qui s'efface peu à peu, il reste que pendant longtemps *cist* et *cil* se sont opposés, non seulement à cause des personnes qu'ils représentaient, mais par voie de conséquence comme le démonstratif de la *proximité* et comme le démonstratif de l'*éloignement* : proximité et éloignement dans le *temps*, plus souvent que proximité et éloignement dans l'*espace*, car *cist* et *cil* répondent rarement à un geste. La langue a même rénové cette opposition avec l'appui des adverbes *ci* et *là*.

« *Dame, ki est chis autres chi* ? »

= qui est cet autre ici ? (Feu 820)
(dans le cas particulier *chis* est un vrai « démonstratif »).

Dans le *Tristan* de BEROUL,

Molt l'avra tost cil grant feu arse
et la poudre cist venz esparse

= ce grand feu l'aura bientôt brûlée et ce vent aura bientôt éparpillé sa poussière (v. 1169-70). *Cil grant feu*, c'est le bûcher qui brûle à quelque distance ; *cist venz*, c'est le vent qui souffle sur tous les témoins de la scène.

..... « *C'est cele qui prist*
celui qui son seignor ocist »

= c'est celle qui épousa celui qui tua son mari (Yv 1809-10). Voilà ce qu'on dira de la dame qui songe à épouser Yvain : dans l'avenir, en se reportant au passé ; mais lorsque Laudine présente effectivement ce nouvel époux à ses barons, elle le désigne ainsi :

« *cist chevaliers, qui lez moi siet* »

= ce chevalier qui est assis à côté de moi (Yv 2114)

— Dans un emploi particulier, où sa valeur paraît réduite à celle d'un article, l'adjectif démonstratif s'applique aux êtres et aux choses qui paraissent appelés « par le contexte » et traditionnellement évoqués ; c'est un démonstratif que l'on peut dire « épique » bien qu'on le rencontre au-delà des Chansons de geste :

si verrés ces flors et ces herbes, s'orrés ces oisellons canter (Auc XX 21)
Oirre par mi ces sauvecines (Ba 577),

c'est-à-dire vous verrez les fleurs et les herbes, vous entendrez les oisillons (de la forêt où on lui conseille d'aller), — il erre parmi les déserts (dont vous avez entendu parler à propos des saints et des pénitents).

— Le démonstratif neutre *ce* (qui peut être tonique ou atone) est d'un emploi plus étendu dans l'ancienne langue que dans la langue moderne :

a) il est en concurrence avec *il* comme sujet du verbe impersonnel, dans la mesure où ce sujet est exprimé (au XVIIe siècle, on dira encore ; *il est vrai*, quand nous disons : *c'est vrai*) ; — il sert souvent à annoncer une subordonnée (qui peut être le sujet « réel ») :

Et ce lor fet grant soatume
que la nuit luisoit cler la lune

= et c'est pour eux une grande douceur que... (Er 4899-4900)

comme aussi à résumer toute une proposition :

Bien a, ce croi, douze ans passez (Er 6221).

b) comme attribut, et précédant le verbe être, il n'entraîne pas encore automatiquement un verbe à la troisième personne ; on dit :

ce sui je, ce es tu, ce est il, ce sommes nous, ce estes vous, ce sont il.

N. B. On notera la valeur générale de l'expression *celui qui*, suivie du subjonctif ; l'absence du relatif n'en modifie pas le sens :

N'i a celui ne face duel

= il n'y en a pas qui ne s'afflige, tous s'affligent (Bé 879)

Lors n'i a celui qui n'en plort

= il n'y en a pas qui n'en pleure, tous en pleurent (Cha 930)

Adverbes « démonstratifs »

Le même type d'opposition existe entre *ci* et *la* qu'entre *cist* et *cil*, *ci* indiquant la proximité et *la* l'éloignement, *qu'un mouvement soit ou non indiqué* :

« *Et tu remaindras ci...* » (Ques p. 104).
Ci vient une dame mout bele (Er 2803).
Car çaus de la a si atainz...

= car il a si bien atteint ceux de là-bas (Yv 3257)

— Par contre l'adverbe *ça*, qui traduit un mouvement dans un rayon restreint, ne s'emploie jamais dans le repos :

Ça mes armes et mon cheval ! (Yv 4145)

tandis qu'*iluec* ne marque jamais le mouvement :

... les chastiaus d'iluec antor (Yv 2475),

ce sont des châteaux qui se trouvent aux environs.

— *Ci*, *la* et *ça* (*ici* n'est qu'un doublet de *ci*) entrent dans la composition d'un très grand nombre d'adverbes de lieu ; les plus usités sont peut-être *çaienz* (> *céans*) et *laienz* (> *léans*) ; constitués de formes de *ça* et de *là* avec *enz* (< *intus*) ils sont d'emploi et de sens analogues à ceux de *ci* et de *la*, mais sont relatifs à un espace clos :

Trop sereiez fel et traïtes
se vos ceanz l'ocieiez

= vous seriez trop félon de le tuer ici dedans (Er 3354-5) :

ceanz, c'est dans « l'ostel » d'Erec, où nous sommes ;

Tuit cuident que ce soit deables
qui leanz soit entr'ax venuz

= tous se figurent que c'est un diable qui est venu là au milieu d'eux (Er 4832-3) :
nous sommes dans « la salle » du comte, mais *leanz* traduit la distance respectueuse que les chevaliers laissent entre eux et le diable.

— Un autre adverbe démonstratif est *ez* ou *es** (issu de *ecce*), qui signifie *voici* ; il est presque toujours suivi d'un pronom personnel qui, dans le principe, était un pronom expressif d'intérêt (à la deuxième personne du pluriel généralement, pour associer les auditeurs au récit) ; ce pronom a fini par perdre toute valeur concrète :

Ez vos le roi molt desperé

= voici le roi tout consterné (Cha 114).

Atant es vos le roi Artus

= alors voici le roi Artur (Bé 3702).

(*) *Es* a parfois été pris pour une forme du verbe *estre* et conjugué au pluriel : *Estes la vous* .: la voici (Floi 3030).

D. RELATIFS ET INTERROGATIFS

Il est normal de les grouper en un même tableau, car ils ont les mêmes formes dans les deux emplois, au singulier et au pluriel :

		Masc. et fém.	Neutre
CS		*ki, qui*	*ke, que*
CR	direct	*ke, que*	*ke, que*
	forme unique	**cui**	**coi, quoi**
Adverbes relatifs et interrogatifs : *dont - ou*			

On notera que *cui*, *quoi* (*coi*) sont des formes fortes.

Certains mots ne sont qu'interrogatifs :

a) CS plur. *quant*
CR plur. *quanz* } = combien de ?

Jorz avoit passez, ne sai quanz (Yv 5872)

b) *quels*, *quel*

qui sert à former le composé *li quels*, rare encore au XIIIe siècle :

Li quel ? (Feu 800)

Syntaxe du relatif

Atteintes à la déclinaison

Constantes confusions entre *cui* et *qui*, confondus dans la prononciation au moins dès le XIIIe siècle, et même entre *qui* et *que*. Voici quelques exemples de *la Chastelaine de Vergi* :

Li dus a cui samble mout grief

= le duc a qui cela semble très pénible (v. 141) : emploi très correct de *cui* ; on pourrait d'ailleurs se passer ici de la préposition.

Plus que moi qui il a trahie (v. 743) :

le relatif étant complément d'objet, il faudrait régulièrement *cui*.

Celui qui j'amoie et trahie m'a (v. 739) :

le relatif est ici objet du premier verbe et sujet du second, mais l'ancienne langue ne l'exprime qu'une fois.

Ma dame a dit ce que li plest

= ma dame a dit ce qui lui convient (v. 204) : emploi normal du CS neutre, bien que l'ancien français connaisse aussi *ce qui* comme sujet, même devant un verbe impersonnel.

Expression du relatif

Le relatif n'est pas toujours exprimé après des mots comme *celui*, *tel* (qu'on appelle aujourd'hui des déterminatifs) :

Tel i ara ferai dolent

= il y aura tel que je rendrai triste (Bé 1244)

N'i a celui n'ait son puiot

= il n'y en a pas qui n'ait sa béquille (Bé 1232)

Relatif et antécédent

L'antécédent peut se trouver assez éloigné du relatif :

.... *qui* ce *m'avez mis sure*
dont *li mien cor el ventre pleure*

= vous qui m'avez imputé ce dont mon cœur pleure (B. 557-8)

Il peut aussi ne pas être exprimé :

.... *Mout par fui faus*
qui ne vous pendi par les paus (Ni 1412-3),

c'est-à-dire : je fus bien fou, moi qui... (on dirait aujourd'hui : bien fou de ne pas vous avoir pendu par les pouces).

Devant un relatif neutre, il est même rarement exprimé :

Je te dirai que feras (Th 258)

Voir par contre :

Si avertirai chou ke j'ai piech'a songiét

= je réaliserai ce que j'ai rêvé depuis longtemps (Feu 3)

N. B. C'est cette « ellipse » de *ce* qui permet de rendre compte des formules si courantes en ancien français : *faire que sages*, *faire que fous*, *faire que vilains*, etc. L'exemple suivant les éclairera :

« *Ke fait tes sires Hellekins* ?
— *Dame, ke vostres amis fins.* » (Feu 615-6),

« Que fait ton maître Hellequin ? » demande la fée Morgue, et Crokesot répond : « Il fait, madame, *ce que fait* votre grand ami », c'est-à-dire : il se conduit comme votre amoureux.

Le relatif masculin *qui* s'emploie souvent sans antécédent avec une valeur générale :

Qui si le fet ne crient assaut

= qui agit ainsi ne craint pas d'attaque (Cha 956).

Cet emploi a même abouti à faire de *qui* l'équivalent de *si l'on* :

Car qui point an volsist porter
ne s'an seüst ja mes raler

= car celui qui aurait voulu emporter de là quelque chose, n'aurait jamais su s'en retourner », ou bien : « si l'on avait voulu..., on n'aurait... (Er 5701-2).

Cette valeur de *qui* est nette encore dans les proverbes :

Qui croit consoil n'est mie fous

= si l'on croit aux conseils, on n'est pas fou (Er 1219).

— En ancien français les relatifs *où* * et *quoi* peuvent s'employer avec un nom de personne comme antécédent :

... *la bele franche au chief bloi*
ou il n'a point de mautalent

= la belle et noble (femme) à la tête blonde, en qui il n'y a point de méchanceté (Bé 3532-3).

Més Floires petit i menja
pour Blancheflor ou il pensa

= mais Floire mangea peu en cette occasion, à cause de Blanchefleur à laquelle il songea (Floi 1264).

(*) Sur *ou* conjonction de temps, voir p. 144.

... li troi felon larron
par quoi est destruite Yseut ta drue

= les trois félons qui perdent Yseut ton amie (Bé 1002-3).

— Le neutre *que*, sorte d'adverbe relatif qui a survécu dans la langue populaire, peut être l'équivalent de tout autre relatif ; mais il semble qu'on le trouve particulièrement dans la prose du XIIIe siècle

La voille que li rois vint

= la veille de la venue du roi (Yv 2172)

« *Il i a une beste que, se vos le poiiés prendre, vos n'en donriiés mie un des membres por cinc cens mars d'argent...* »

= il y a une bête dont vous ne donneriez pas... (Auc XXII).

La proposition relative

La proposition relative a en principe les mêmes valeurs en ancien français qu'en français moderne. Notons toutefois qu'avec le subjonctif :

a) elle peut exprimer un souhait :

Cist nain, qui Deus maudie !

= ce nain, que Dieu maudisse (Bé 648)

b) elle peut exprimer une restriction :

Et disoient qu'onques mes hon
n'iere eschapez, que il seüssent

= ils disaient que jamais homme ne s'était sauvé à leur connaissance (Yv 5791-2)

Qu'onques chose que a mal taingne
ne deïstes, don moi sovaingne.

= vous n'avez jamais dit de parole fâcheuse dont je me souvienne (Yv 5791-2).

Syntaxe de l'interrogatif

Le pronom interrogatif suffit à l'interrogation sans la surcharge moderne « qu'est-ce ...» :

Que poëz estre devenu ? (Cha 756)
Ou pansez vos ?

deviendra facilement en français moderne « A quoi est-ce que vous pensez ? » (Cli 2841)

Par conséquent des formules comme les suivantes sont bien plus pleines qu'aujourd'hui :

Qui est qui se demante si ?

= quelle est la personne qui se désole ainsi ? (Yv 3571).

Qu'est ce que... (Cha 847).

— Pas plus que le relatif neutre n'est habituellement précédé d'un antécédent, l'interrogatif n'est précédé de *ce* dans l'interrogation indirecte :

Ne set qu'il die (Bé 612).

— *Dont* et *d'où* sont confondus jusqu'au XVIIe siècle : de là les formules interrogatives suivantes :

« *Ha, amis, dont est ce venus* ? » (Cha 755)
« *Et dont estes vous* ? » (Feu 530)

N. B. L'interrogatif est souvent associé à un relatif dont il est l'antécédent ; le groupe qu'ils forment a une valeur concessive :

Qui que l'antande et qui que l'oie,
ja essoines ne le tandra

= qui que ce soit qui le comprenne et qui l'écoute, aucun empêchement ne l'arrêtera (Er 6098-9)

Aler quel part que vos volez (Yv 3592)
Li quels que soit iert eüreus

= tous tant que nous sommes, nous serons heureux (Ni 1365) :
ces derniers exemples nous mettent sur la voie du tour moderne quelque... que.

...Quant qu'il voudra ferai

= je ferai tout ce qu'il voudra (Bé 2424) :
ce groupe est parfois soudé et écrit *quanque* (= quoi que ce soit, tout ce que)

La proposition interrogative

Le ton peut suffire à marquer l'interrogation, comme dans la langue moderne ; c'est ainsi qu'Iseut pose (ou feint de poser) une question indignée à Tristan au cours de la scène qu'ils jouent tous deux pour le roi Marc :

« *Il vos mescroit de moi forment*
et j'en tendrai le parlement ?

= il vous soupçonne fortement à mon propos et j'aborderai ce sujet ? (Bé 169-70)

Autre exemple dans *Erec* :

« *Oïs onques parler, fet il,*
del roi Lac et d'Erec son fil ? »

= as-tu jamais entendu parler, dit-il, du roi Lac et d'Erec, son fils ? (v. 5.987-8)

Mais la présence d'un mot interrogatif est d'autant plus nécessaire en ancien français que l'ordre normal des termes dans l'interrogation, l'ordre verbe-sujet, *risque d'être masqué en l'absence de sujet*, et, comme on l'a vu, le pronom sujet en particulier n'est pas couramment exprimé ; on lira :

« *Amis, ou avez vos esté* ? (Bé 1797),

phrase de type moderne, — mais aussi :

« *Comment le sez* ? » (Bé 4295)
« *Ou se sont mis* ? » (Bé 4300).

L'ordre verbe-sujet n'est modifié que lorsque c'est le mot interrogatif qui est le sujet :

« *Qui est ceenz* ? » (Th 296)

S'il est utile d'insister sur l'identié de la personne, on détachera en tête un pronom ou un nom, qu'on rappellera (ou qu'on ne rappellera pas) par un pronom sujet après le verbe :

« *Et ceste dame ansamble o lui,*
amis, *fet li rois*, *qui est ele* ? » (Er 6550-1)
« *Et vous*, *qui estes* ? » (Th 296)

N. B. 1) Outre les mots interrogatifs que nous avons signalés et différents adverbes toujours en usage (comment ? quand ? etc.), il faut mentionner la particule *enne* (*en*, *ene*) = est-ce que... ne... pas (réponse : *Si* ! en français moderne) :

« *En volés vos que je vos venge* ? »

= ne voulez-vous pas que je vous venge ? (Auc XXXII, 12)

« *En'estes vos sains et haitiez* ? »

= n'êtes-vous pas bien portant ? (Gra 5143)

2) On peut trouver *nient* ou *point* sans *ne*, l'interrogation alors n'est pas négative :

« *As tu point d'orinal* ? » (Feu 230),

littéralement : « as-tu quelque chose en fait d'urinal ? »

De même naturellement avec *rien* :

« *Estes vous de rien coreciez* ? »

= êtes-vous fâché de quelque chose ? (Floi 1467)

IX. — LE VERBE

Plan de l'étude

L'origine des formes impose le plan suivant :

1) les présents : de l'indicatif, du subjonctif, de l'impératif, du participe ;
2) l'imparfait de l'indicatif ;
3) le passé simple de l'indicatif, l'imparfait du subjonctif, le participe passé ;
4) l'infinitif et les temps de création romane, futur et « conditionnel », dit plus exactement « forme en *-roie* » ;
5) les temps composés.

I. — LES PRÉSENTS

On distinguera trois types de présents, qui correspondent :

a) aux infinitifs en *-er*, ex. *chanter* ;

b) aux infinitifs en *-ir*, participe *-issant*, ex. *fenir*, *fenissant* ;

c) aux autres infinitifs, ex. *partir*.

Indicatif	Subjonctif	Impératif	Participe
—	—	—	—
	a)		
chant	*chant*		*chantant*
chantes	*chanz*	*chante*	
chante	*chant*		
chantons	*chantons*, (*chantiens*)		
chantez	*chantez*	*chantez*	
chantent	*chantent*		

N. B. 1) Quand la désinence *-er* est précédée d'un groupe de consonnes du type *br-*, *pr-*, *tr-*, etc., un *-e* d'appui apparaît à la 1re pers. de l'indicatif et aux trois 1res du subjonctif.

2) La conjugaison des verbes dont l'infinitif est en *-ier* ne diffère de la précédente qu'aux 2es pers. du pluriel : *laissiez*.

Indicatif	Subjonctif	Impératif	Participe
	b)		
fenis	*fenisse*		*fenissant*
fenis	*fenisses*	*fenis*	
fenist	*fenisse*		
fenissons	*fenissons*, (*fenissiens*)		
fenissiez,*-ez*	*fenissiez*	*fenissiez*, *ez*	
fenissent	*fenissent*		

c)

part	*parte*		*partant*
parz	*partes*	*part*	
part	*parte*		
partons	*partons*, (*partiens*)		
partez	*partez*	*partez*	
partent	*partent*		

N.B. — Comme dans le cas de la conjugaison en *-er*, un groupe de consonnes terminé par *-r* appelle un *-e* d'appui aux 3 premières personnes de l'indicatif : *cuevre*.

Altérations du radical

Alternance vocalique

Cette alternance résulte du sort différent des voyelles latines selon qu'elles sont ou non frappées de l'accent tonique ; *neuf formes* accentuées sur le radical sont susceptibles de s'écarter des autres : les trois personnes du singulier et la troisième personne du pluriel à l'indicatif et au subjonctif, la deuxième personne du singulier de l'impératif. Voici des exemples pour l'essentiel :

a > e :

ex. *lef*, *leves*, *leve*, *lavons*, *lavez*, *levent* : *laver*

mais devant nasale (> eyn) :

aim, *aimes*, *aime*, *amons*, *amez*, *aiment* : *amer*

e ouvert > iè :

lief, *lieves*, *lieve*, *levons*, *levez*, *lievent* : *lever*

mais devant *y* (iey > i) :

pris, *prises*, *prise*, *proisons*, *proisiez*, *prisent* : *proisier* (*prisier*) o ouvert > ue :

(*puis*), *puez*, *puet*, *poons*, *poez*, *pueënt* : *pooir*

mais devant *y* (uey > ui) :

apui, *apuies*, *apuie*, *apoions*, *apoiiez*, *apuient* : *apoiier*

e fermé > ei > oi :

doi, *dois*, *doit*, *devons*, *devez*, *doivent* : *devoir*

o fermé > ou > eu :

pleur, *pleures*, *pleure*, *plorons*, *plorez*, *pleurent* : *plorer*

Maintien ou disparition d'une voyelle radicale

Le déplacement de l'accent latin est ici encore à l'origine de ce phénomène ; les formes accentuées sur le radical (dites souvent formes « fortes ») conservent une voyelle qui a disparu des formes accentuées sur la désinence (dites formes « faibles ») ; on peut trouver ainsi par exemple, à l'indicatif présent :

1re pers. du sing.	1re pers. pl.
aiu	*aidons*
desjun	*disnons*
manju	*mangeons*
parol	*parlons*
(et de même aux autres personnes de forme « forte »)	(et de même à la 2e pers. du pluriel.)

Modifications consonantiques

La consonne finale du radical est sujette à différents accidents dont les exemples suivants peuvent donner une idée : il s'agit de présents de l'indicatif (des verbes *escrire*, *faire*, *valoir*) :

escrif consonne sonore *v* assourdie à la finale ; de même *gap*, *gabons* ; *pert*, *perdons* ; *boif*, *bevons* ; *ramentoif*, *ramentevons* ; *reçoif*, *recevons*.

escris : devant *s* de flexion, chute des labiales, combinaison des dentales : *dormir*, *dors* ; *rendre*, *renz*.

escrit : devant *t* de flexion, chute des labiales, confusion des dentales : *rendre*, *rent*.

<table><tr><td>escrivons
escrivez
escrivent</td><td>} maintien de la consonne sonore devant voyelle</td></tr></table>

faz : la consonne palatalisée (*c* + *y* (*facio*) aboutit à *ts*, noté *z*)
faiz, *fais*
fait
faimes, et par analogie : *faisons*.
faites
font

vail : *l* mouillé par *y* (< *e* en hiatus dans *valeo*)

<table><tr><td>vaus
vaut</td><td>} l vocalisé devant consonne</td></tr></table>

<table><tr><td>valons
valez
valent</td><td>} l maintenu devant voyelle</td></tr></table>

Réfections analogiques

Signalons, sans plus, que de multiples influences analogiques, qui jouaient dès l'ancien français ou qui sont apparues depuis, ont tendu à réduire bon nombre des disparates créées par l'évolution phonétique ; c'est ainsi que les alternances vocaliques ne subsistent plus que dans la conjugaison des verbes les plus usuels.

Evolution des désinences

Singulier

1re pers. — Bien qu'à l'origine, la 1re personne n'ait pas de désinence propre, dès l'ancien français, des influences analogiques font apparaître un *-e* final dans la conjugaison en *-er* et un *-s* dans les autres ; mais on rencontrera jusqu'au XVIIe siècle, sporadiquement, des formes anciennes. — Au subj. ce sont les 3 prem. pers. qui sont refaites en *-e*, dans la conjugaison en *-er*.

2e pers. — La désinence normale est *-s* (elle n'existe pas à l'impératif), mais dans les verbes dont le radical se termine par une dentale, on note généralement par *-z* la combinaison *ts*.

3e pers. — Il n'y a pas en ancien français insertion d'un *t* analogique dans les formules interrogatives pour la conjugaison en *-er*.

Pluriel

1re et 2e pers. — Au subjonctif, des désinences *-iens*, *-iez*, phonétiquement normales dans certains verbes en raison de la présence d'un élément palatal et plus largement répandues dans certains dialectes, gagnent au XIIIe siècle.

Traits dialectaux

▪▪ Anglo-normand. — On rencontre des 1res pers. d'indicatif présent qui se terminent par *c* (= k) ou par *g*, sous une influence analogique :

ex. *tienc* (Eli 423), *preng* (Eli 673).

Les premières pers. du pluriel ont couramment les désinences de l'Ouest *-om* ou *-um à tous les temps* où le francien présente la désinence *-ons* :

ex. *avum*, *finum*, *serum*, etc. chez Marie de France : *savon*, *avon*, *devrion*, etc. dans Béroul.

Le subjonctif présent est souvent en *-ge* : cette terminaison est l'aboutissement normal de l'évolution de formes latines en *-gam*, mais elle s'est étendue plus largement sous l'effet de l'analogie, *sauf en francien* ; de là les formes suivantes :

querge (Eli 824), *prenge* (Yo 174), *tienge* (Eq 157), *vienge* (Gui 759), etc.

■■ PICARD. — Dans un certain nombre des verbes, à la première personne du singulier, à l'indicatif présent (*et aussi au passé simple*), une consonne latine palatalisée qui aboutissait en francien à *ts* (noté *z*), puis à *s*, donnait en picard *tch*, puis *ch*. Mais cette terminaison s'est étendue par analogie et d'autre part la consonne en question a été notée de façon diverse par les scribes, notamment par un simple *c*. A côté de *fac*(*h*) (< facio, fr. *faz*), *tac*(*h*) (< taceo, fr. *taz*), *senc*(*h*) (< sentio, fr. *senz*), etc., on rencontre encore par analogie :

aporc (Feu 346), fr. *aport* — *oc* (Feu 932), fr. *oi* — *prenc* (Ni 1071), fr. *prent* — *renc* (Ni 1495), fr. *rent* — etc.

La première personne du pluriel, au présent de l'indicatif (et au futur), offre une désinence en *-omes* face au francien *-ons* ; toutes deux se rencontrent par exemple dans le *Jeu de saint Nicolas* : *volommes* (v. 4), *avommes* (v. 1188), *partirommes* (v. 1190), à côté des formes franciennes.

En picard, comme en anglo-normand, et pour les mêmes raisons, mais plus rarement, nous trouvons des subjonctifs présents en *-ge* ; mais sont propres au picard des subjonctifs présents en *-che* qui résultent, soit d'une évolution phonétique normale dans ce dialecte, soit d'une extension analogique (ainsi dans les verbes en *-er*) ; ex. *fache* (Feu 327), fr. *face* ; *meche* (Ni 873), fr. *mete* ; *meskieche* (Feu 1060), fr. *meschiee* ; *plache* (Ni 1221), fr. *place* ; etc.

II. — L'IMPARFAIT

Par généralisation du type latin en *-ébam*, il n'y a qu'un seul type d'imparfait :

partoie
partoies
partoit
partïens, *partïons*
partïez
partoient

N. B. Les désinences *-ïens* (*-ïons*), *-ïez* sont dissyllabiques à l'imparfait et au conditionnel dans l'ancienne langue.

Traits dialectaux

▪▪ Anglo-normand. — Ce dialecte, comme ceux de l'Ouest, conserve les désinences anciennes propres aux verbes en *-er* (issues du type *-abam*) ;

chantoe (*chantoue*), *chantoes* (*chantoues*), *chantot* (*chantout*), *chantïens*, *chantïez*, *chantoent* (*chantouent*).

La 3e pers. du sing. se rencontre plus fréquemment que les autres sous cette forme archaïque, dans Béroul en particulier ; voir encore *amot* (Cha 146).

▪▪ Picard. — La 1re pers. du pluriel présente une désinence *-iemes* (qu'on retrouve au conditionnel) : *cuidiemes* (Ni 1159), *porriemes* (Ni 1357).

▪▪ Est : Formes en *-eve* dans les verbes en *-er* aux trois pers. du sing. et à la 3e du pluriel.

III

PASSÉ SIMPLE—IMPARFAIT DU SUBJONCTIF PARTICIPE PASSÉ

Il faut partir du passé simple, dont la conjugaison offre des difficultés ; la distinction fondamentale est entre les passés *faibles*, où l'accent tonique frappe toujours la *désinence*, et les passés *forts*, où il frappe le *radical* à la 1re personne du singulier et aux deux 3es personnes (les autres étant faibles).

On notera qu'en raison de leur origine, dans tous les cas, on peut retrouver les formes du subj. impft. à partir de la 2e pers. sing. du passé simple.

Deux tableaux d'ensemble aux pages de gauche (ci-dessous et p. 86) classent les différents types de passé simple dans les deux grandes catégories ; la page de droite (ci-contre et page 87) présentera des indications plus complètes que l'on pourra réserver pour une étude plus détaillée ; enfin on trouvera aux pages suivantes les paradigmes utiles.

Passés faibles

en a :	*chantai*	**(latin : - avi)** :	correspondant aux infinitifs en *-er* et en *-ier*.
en i (1) :	*parti*	**(latin : - ivi)** :	correspondant aux infinitifs en *-ir*.
en i (2) :	*perdi*		correspondant à des infinitifs en *-re* et en *-oir*.
en u (1) :	*parui*		(idem)

i (1)

Quelques verbes en *-ir* font exception :

gésir, *loisir*, *nuisir*, *plaisir*, *taisir* ont normalement un passé fort en *-u*, et ils auraient un infinitif en *-oir* sans un accident phonétique (l'action d'une consonne palatalisée) ; *courir* et *querir* sont normalement *corre* et *querre* ; mais *venir* et *tenir* ont un passé fort en *-i*, et *morir* un passé faible en *-u*.

i (2)

Il s'agit de verbes qui ont reçu tardivement un parfait en *-dèdi* ; telle est la source des derniers passés faibles en *-i*. Ils n'intéressent guère qu'une vingtaine de verbes en *-dre* (*rendre*, *respondre*, *descendre*, *fendre*, *fondre*, *perdre*, etc.), en *-tre* (*batre*, *naistre*, *vaintre*, etc.) + *rompre*, *vivre*, *sivre* (= *suivre*) ; leurs deux 3es pers. — et elles seules — se sont écartées du type précédent : *perdie*(*t*), *perdierent*. Mais au début du XIIIe siècle, ces formes achèvent de s'aligner sur les précédentes : *perdi*, *perdirent*.

u (1)

Ce type remonte à des parfaits latins en *-lui* et en *-rui* (exception : *volui*>**voli*>*voil*, de *voloir*). Il ne couvre guère que les passés suivants qui se conjuguent comme *fui* (de *estre*) : *corui* (*corre*), *dolui* (*doloir*), *molui* (*moudre*), *morui* (*morir*), *parui* (*paroir*), *valui* (*valoir*).

Passés forts

en **i** (3) :	*vi, vin, tin, voil*	**(latin : -i)**	des verbes *veoir venir, tenir, voloir*
en **s** :	*mis, mesis, mist*, etc.	**(latin :-si)**	correspondant à des infinitifs en *-re* et en *-oir*.
en **u** (2) :	*poi, poüs, pot, etc.* *dui, deüs, dut, etc.*	**(latin:-ui)**	

i (3)

Type qui diffère profondément par son alternance des deux types faibles en *-i*.

s

Les 3es personnes du pluriel comportent des variantes ; *-strent*, qui s'était généralisé aux dépens de *-sdrent* (*misdrent* > *mistrent*), cède au cours du XIIIe siècle devant *-rent* (*mirent*) ; mais *firent* a toujours existé.

u (2)

Nous trouvons ici une vingtaine de verbes très usuels, de deux types en fait :

a) *Cinq* verbes de voyelle radicale *a*, plus le verbe *pooir* :

oi (<habui - avoir) - *poi* (<* pavui - paistre)
ploi (<placui - plaisir) - *soi* (<sapui - savoir)
toi (<tacui - taisir) - *poi* (<potui - pooir)

Ils n'ont pas d'alternance vocalique originellement ; ils présentent une 1re pers. en *oi*, et très tôt une alternance analogique : *-oi*, *-eüs*, *-ot*, etc.

b) *Une dizaine* de verbes de voyelle radicale *e* :

bui (<*bebui - boivre) - *crui* (<*credui - croire)
crui (<*crevui - croistre) - *dui* (<debui - devoir)
estui (<*stetui - ester) - *jui* (<*jecui - gesir)
lui (<*legui - lire) - *lut* (<*lecuit - loisir), impers.
reçui (<*recepui - recevoir).

Ils ont une 1re pers. en *ui* et une alternance phonétique (régulière) : *-ui*, *-eüs*, *-ut*, etc.

c) Ils sont rejoints par *cinq verbes* de voyelle radicale *o*, qui ont adopté la même alternance *u/e* par analogie (au lieu de *u/o* qu'on attendrait) :

conui (<*cognovui - conoistre) - *estut* (<*estopuit - estovoir), impers. - *mui* (<*movui - movoir) - *nui* (<nocui - nuisir) - *plut* (<*plovuit - plovoir), impers.

A. — Passés faibles

en *a* :

Passé simple	Imp. du subj.	Part. passé
chantai	*chantasse*	
chantas	*chantasses*	
chanta	*chantast*	
chantames	*chantissons, chantissiens*	*chanté, laissié*
chantastes	*chantissez, chantissiez*	
chanterent (*laissierent*)	*chantassent*	

en *i*[1]

Passé simple	Imp. du subj.	Part. passé
parti	*partisse*	
partis	*partisses*	
parti	*partist*	
partimes	*partissons, partissiens*	*parti*
partistes	*partissez, partissiez*	
partirent	*partissent*	

en *u* [1]

Passé simple	Imp. du subj.	Part. passé
parui	*parusse*	
parus	*parusses*	
parut	*parust*	
parumes	*parussons, parussiens*	*paru*
parustes	*parussez, parussiez*	
parurent	*parussent*	

B. — Passés forts

Passé simple			Imparfait du subjonctif		
—			—		
en *i* (3)					
vi	*vin*	*voil*	*veïsse*	*venisse*	*volisse*
veïs	*venis*	*volis*	*veïsses*	etc.	etc.
vit	*vint*	*volt*, *vout*	*veïst*		
veïmes	*venimes*	*volimes*	*veïssons*, *veïssiens*		
veïstes	*venistes*	*volistes*	*veïssez*, *veïssiez*		
virent	*vindrent*	*voldrent*, *voudrent*	*veïssent*		

Part. passé

—

veü - *venu* - *volu*

N. B. 1) *Tenir* se conjugue exactement comme *venir*.

2) On notera toutefois que *voloir* présente aussi un parfait en *s* : *vous*, *vousis* au passé simple, *vou(l)sisse* à l'imparfait du subjonctif ; mais c'est un troisième type de passé qui l'a emporté finalement sous l'influence du participe passé *volu* : *je voulus*, etc.

Passé simple	Imparfait du subjonctif
en *s* :	
mis	*mesisse > meïsse*
mesis > meïs	*mesisses > meïsses*
mist	*mesist > meïst*
mesimes > meïmes	*mesissons > meïssons, meïssiens*
mesistes > meïstes	*mesissez > meïssez, meïssiez*
mistrent, mirent	*mesissent > meïssent*

Part. passé

mis

(mais dans les verbes à radical à consonne : *ardre* : *ars* *traire* : *trait*)

Passé simple		Imparfait du subjonctif	
en *u* [2]			
poi	*dui*	(*poüsse*), *peüsse*** etc.	*deüsse*
(*poüs*), *peüs**	*deüs*		*deüsses*
pout, pot	*dut*		*deüst*
(*poümes*), *peümes*	*deümes*		*deüssons, deüssiens*
(*poüstes*), *peüstes*	*deüstes*		*deüssez, deüssiez*
pourent, porent	*durent*		*deüssent*

Part. passé

(*poü*), *peü-deü*

(*) Parfois *poïs* (en Champagne).
(**) En fait, on trouve aussi *poïsse* etc.

■■ ANGLO-NORMAND. — Il conserve plus tard que le francien aux 3es pers. des passés forts en *-u* les formes en *ou*, ainsi *pout*, qui a cédé la place à *pot* en francien. Mais il réduira plus tôt le hiatus *eï* ou *eü* dans les passés forts en *s* et en *u*. — Plus encore que le francien, il hésite sur la voy. finale des participes passés ; *tolir* (dont le participe est *tout* en principe) offre *toli*, *tolu* et *toloit* (*toleit* chez BÉROUL, v. 1281).

■■ PICARD. — Il conserve plus tard que le francien *s* entre voyelles dans les passés en *s* ; à la 3e pers. du pluriel, il présente des formes en *-isent*, *-issent*, face à *-istrent*, *-irent* du francien : *misent* ou *missent*, *fisent* ou *fissent*, *disent ou dissent*, *prisent* ou *prissent*, etc (parfois écrits sans *t*).

Comme à l'indicatif présent, le picard offre au passé simple des 1res personnes en *c*(*h*) (voir p. 82) ex. *vauc* (Feu 257), fr. *vous* et *voil*.

L'imparfait du subjonctif des verbes en *-er* se termine très souvent en *-aisse*.

Enfin au participe passé féminin des verbes en *-ier*, le picard présente une terminaison en *-ïe* et non pas en *-iee* comme le francien :

Pic. *proïe*, fr. *proiee*, fr. mod. *priée*.

IV. — INFINITIF ET TEMPS NOUVEAUX

Infinitif

Quatre désinences à l'infinitif :

-er (avec sa variante *-ier*), *-ir*, *-eir* > *oir*, *-re*.

Mais ces désinences ont donné lieu à beaucoup de flottements : dès le latin, au moins dès le latin tardif, des verbes ont modifié leur désinence d'infinitif (*cadere*, accentué sur la 2e syllabe au lieu de l'être sur la 1re, offrira un *e* fermé en syllabe tonique), le suffixe *-isc-* s'est introduit dans bon nombre de verbes (d'où le type *-ir*, *-issant* en francien). Par la suite, de multiples influences analogiques ont suscité des formes concurrentes ; on rencontre dans l'histoire de la langue *puir* et *puer*, *tistre* et *tisser*, *courre* et *courir* ; et, par ailleurs, *toudre* et *tolir*, *remanoir* et *remaindre*, *criembre* et *craindre*, où l'on note une véritable refaçon de l'infinitif, et non plus seulement un changement de désinence. Puis les dialectes alignent des formes très différentes qui peuvent coexister dans certains textes ; c'est ainsi que le latin *cadere* aboutit en francien à *cheoir*, en picard à *caïr* ; *videre* aboutit de même à *veeir* > *veoir* en francien, mais à *veer*, *ver*, comme aussi à *veier*, en anglo-normand.

Traits dialectaux

Anglo-normand. — L'effacement de *e* en hiatus, qui se produit plus tôt qu'en francien, et l'influence des infinitifs en *-ir* et des infinitifs en *-er* sur ceux qui étaient demeurés en *-eir*, (sans évoluer en *-oir*) peuvent expliquer des formes comme celles qu'on a signalées ci-dessus, ou comme *choier* (fr. *cheoir*) (Bé 1087), *soier* (fr. *seoir*) (B. 3347), qui sont chez Marie de France *chaïr* ou *chaeir*, *seer*.

Signalons encore la réduction assez fréquemment de *-ier* à *-er* dans ce dialecte.

▪▪ PICARD. — A côté des formes franciennes, on trouve dans les textes picards les formes *veïr* (ou même *vir*), *keïr* ou *caïr*, *seïr* (ou même *sir*) face aux infinitifs franciens *veoir*, *cheoir*, *seoir*.

FUTUR ET « CONDITIONNEL »

Les langues issues du latin ont dû reformer un futur dont l'évolution phonétique avait confondu parfois la conjugaison avec celle du présent de l'indicatif. Le « conditionnel » (ou forme en *-roie*) n'existait pas en latin. Ces deux temps ont été constitués grâce à une périphrase, le futur avec l'infinitif suivi de formes (réduites) du verbe *habeo* au présent, le « conditionnel » dans les mêmes conditions, mais avec l'imparfait de ce verbe.

Ces formes, telles qu'elles apparaissent en francien, ne sont pas toujours celles que la phonétique faisait attendre, mais *le futur a toujours les désinences du présent, et la forme en* -roie *celles de l'imparfait* ; il n'y a qu'un type de futur et qu'un type de « conditionnel » à cet égard, et nous négligeons ici les accidents subis par le radical :

	chanterai	*chanteroie*
	chanteras	*chanteroies*
	chantera	*chanteroit*
	chanterons	*chanterïens*, *chanterïons*
(*chanteroiz*),	*chanterez*	*chanterïez*
	chanteront	*chanteroient*

Traits dialectaux

■■ Anglo-normand et Picard. — Dans d'autres dialectes encore (wallon et lorrain) apparaît ce trait commun d'un *e* d'appui entre une consonne labiale ou dentale du radical et l'élément *-rai* ou *-roie* : ainsi dans *beverai*, *arderai*, *baterai* ou les formes correspondantes en *-roie.*

Fréquente dans ces dialectes est la métathèse (interversion) de r :

> ***enduerrai = endurerai,***
> ***demouerra = demourera.***

V. — LES TEMPS COMPOSÉS

Le latin n'avait de temps composés qu'avec le verbe *être* ; ils marquaient au passif l'action accomplie. Comme les autres langues romanes, le français a recouru aussi au verbe *avoir* : sa valeur propre (posséder) s'est atténuée, ou même effacée, mais en ancien français le participe et l'auxiliaire ne sont pas étroitement soudés :

Les pains demiés et les entiers
et les pièces et les quartiers
ai bien parmié le sac sentu

= j'ai bien senti dans le sac les demi-pains, etc. (Bé 3967-9).

Les temps composés avec *avoir* serviront à traduire l'action accomplie ; mais cette valeur de « parfait » s'effacera petit à petit et il faudra pour compenser cette usure recourir aux temps « surcomposés » ; ils apparaissent déjà en français au XIIIe siècle, tout au moins pour le plus que parfait surcomposé.

TABLE DES VERBES LES PLUS USUELS

N. B. C'est la diphtongue *-oi-* que nous avons généralement notée dans ces formes ; mais on rencontre assez fréquemment encore les formes en *-ei-* au XIIIe s.

Nous donnons d'abord la conjugaison des verbes *être* et *avoir*.

ESTRE

Présent de l'indicatif	Présent du subjonctif	Impératif
sui	*soie*	
ies, *es*	*soies*	*soies*
est	*soit*	
somes (*esmes*)	*soiens*, *soions*	
estes	*soiez*	*soiez*
sont	*soient*	

Imparfait de l'indicatif	
ere, *iere*	*estoie*
eres, *ieres*	*estoies*
ere, *iere*, *ert*, *iert*	*estoit*
erïens, *erïons*	*estïens*
erïez	*estïez*
erent, *ierent*	*estoient*

Passé simple	Imparfait du subjonctif	Part. passé
fui	*fusse*	*esté*
fus	*fusses*	
fu	*fust*	Participe présent
fumes	*fussons*, *fussiens*	
fustes	*fussez*, *fussiez*	
furent	*fussent*	*estant*

	Futurs		« Conditionnels »	
	—		—	
er, *ier*	*serai*	*estrai*	*seroie*	*estroie*
ers, *iers*	*seras*	*estras*	etc.	etc.
ert, *iert*	*sera*	*estra*		
ermes, *iermes*	*serons*	*estrons*		
(non attestées)	*serez*	*estrez*		
erent, *ierent*	*seront*	*estront*		

AVOIR

Présent de l'indicatif	Présent du subjonctif	Impératif
—	—	—
ai	*aie*	
as	*aies*	*aies*
a	*ait*(*)	
avons	*aiens*, *aions*	
avez	*aiez*	*aiez*
ont	*aient*	

Imparfait de l'indicatif

—

avoie
avoies
avoit
avïens, *avïons*
avïez
avoient

Passé simple	Imparfait du subjonctif	Part. passé
—	—	—
oi	*eüsse*	
(oüs) *eüs*	*eüsses*	
out, *ot*	*eüst*	
(oümes) *eümes*	*eüssons*, *eüssiens*	*eü*
(oüstes) *eüstes*	*eüssez*, *eüssiez*	
ourent, *orent*	*eüssent*	

(*) **Ne pas confondre avec *aït*, subj. pr. du verbe *aidier*.**

Futur	« Conditionnel »	Participe présent
—	—	—
avrai, *arai*	*avroie*, *aroie*	*aiant*
avras, *aras*	*avroies aroies*	
avra ara	etc.	
avrons, *arons*		
avrez, *arez*		
avront aront		

N. B. — Restre — ravoir :

Le préverbe *-re* peut avoir en ancien français les deux valeurs connues du français moderne : marquer un mouvement en sens inverse ou bien une répétition ; mais il peut avoir un troisième sens disparu de la langue et signifier « à son tour, de son côté » ; ce dernier sens est assez fréquent avec *ravoir* et *restre* :

Une de ses deus filles ot
le tierz, et l'autre rot le quart

= une de ses deux filles eut le troisième (cheval), et l'autre, quant à elle, le quatrième (Gra 5582-3)

Or est morz, s'il ne la delivre,
et cele rest autresi morte*
qui por lui molt se desconforte

= à présent, il est mort, s'il ne la délivre, et elle est morte à son tour aussi, elle qui se désole à cause de lui (Cli 3718-20).

(*) Ne pas confondre avec le verbe *rester*.

ALER

Pr. ind. : *vois - vais*, *vas - vait*, *vet*, *va - alons - alez - vont*.
Pr. subj. : *voise*, *aille*, *alge - voises*, *ailles*, *alges - voise*, *voist*, *aille*, *aut*, *alge - voisons*, *voisiens*, *aillens*, *alons*, *algiens*, *aillons - voisiez*, *ailliez*, *algiez - voisent*, *aillent*, *algent*.
Impér. : *va(s) - alez - alons*
Impft. ind. : *aloie*, etc.
Passé : *alai*, etc.
Impft sub. : *alasse*, etc.
Part. passé : *alé*
Fut. : *irai*, etc.
Cond. : *iroie*, etc.
Part. pr. : *alant*

ARDOIR (ou ARDRE)

Pr. ind. : *art - ars - art - ardons - ardez - ardent*
Pr. sub. : *arde* et *arge*, etc.
Impér. : *art*
Impft ind. : *ardoie*, etc. et *arjoie*
Passé : *ars - arsis - arst*
Impft sub. : *arsisse*, etc.
Part. passé : *ars*
Fut. : *ardrai*, etc.
Cond. : *ardroie*, etc.
Part. pr. : *ardant*

BOIVRE

Pr. ind. : *boif - bois - boit - bevons - bevez - boivent*
Pr. sub. : *boive*, etc.
Impér. : *boif - bevons - bevez*
Impft ind. : *bevoie*, etc.
Passé : *bui* (voir p. 90).
Impft sub. : *beüsse*, etc.
Part. passé : *beü*
Fut. : *bevrai*, etc.
Cond. : *bevroie*, etc.
Part. pr. : *bevant*

CHALOIR

(impersonnel)

Pr. ind. : *chaut*
Pr. sub. : *chaille*
Impft : *chaloit*
Passé : *chalut*, *chaust*
Impft sub. : *chalust*, *chausist*
Part. pas. : *chalu*
Fut. : *chaudra*
Cond. : *chaudroit*
Part. pr. : *chalant*

CHEOIR

Pr. ind. : *chié* - *chiez* - *chiet* - *chëons* - *chëez* - *chiëent* > *chient*
Pr. sub. : *chiee*, etc.
Impér. : *chie*, etc.
Impft ind. : *cheoie*, etc.
Passé : *chaï*, *cheï* (voir p. 88).
Impft sub. : *chaïsse*, *cheïsse*, etc.
Part. pass. : *cheü*
Fut. : *charrai*, *cherrai*, etc.
Cond. : *charroie*, *cherroie*, etc.
Part. pr. : *chëant*

CRIEMBRE (CREMIR et CRAINDRE)

Pr. ind. : *criem* - *criens* - *crient* - *cremons* - *cremez* - *criement* ; *craing* - *crains* - *craint* - *craignons*, etc.
Pr. sub. : *crieme*, etc.
Impér. : *criem* - *cremons* - *cremez*
Impft ind. : *cremoie*, etc.
Passé : *crens* - *crensis* - *crenst* - *crensimes* - *crensistes* - *crenstrent*
Impft sub. : *cremisse* et *crainsisse*, etc.
Part. pas. : *crient* et *cremu*
Fut. : *criembrai* et *craindrai*, etc.
Cond. : *criembroie* et *craindroie*
Part. pr. : *cremant*

CROIRE

Pr. ind. : *croi - croiz - croit - creons - creez - croient*
P. Sub. : *croie - croies - croie - croiens, creons - creez - croient*
Impér. - *croi - creons - creez*
Impft ind. : *creoie*, etc.
Passé : *crui* (voir p. 90).
Impft sub. : *creüsse*, etc.
Part. pas. : *creü*
Fut. : *crerai*, etc.
Cond. : *creroie*, etc.
Part. pr. : *crëant*
N. B. — Le passé de CROISTRE a les mêmes formes que celui de *croire*.

CUILLIR (OU COILLIR)

Pr. ind. : *cueil - cuelz - cuelt - coillons - coilliez - cueillent*
Pr. subj. *cueille*, etc.
Impér. : *cueil - coillons - coillez*
Impft ind. : *coilloie*, etc.
Passé : *coilli*, etc.
Impft sub. : *coillisse*, etc.
Part. pas. : *coilli*
Fut. : *cueudrai*, etc.
Cond. : *cueudroie*, etc.
Part. pr. : *coillant*

DIRE

Pr. ind. : - *di - dis, diz - dit - dimes, disons, dions - dites - dient*
Pr. subj. : *die - dies - die - disiens, disons, dions - diez - dient*
Impér. : *di - dimes, disons - dites*
Impft ind. : *disoie*, etc.
Passé : *dis - desis, deïs - dist* (voir p. 90)
Impft sub. : *desisse, deïsse*, etc.
Part. pas. : *dit*
Fut. : *dirai*, etc.

Cond. : *diroie*, etc.
Part. pr. : *disant*

DOLOIR

Pr. ind. : *duel*, *dueil* - *duels*, *dieus* - *duelt*, *dieut*, *diaut* *dolons* - *dolez* - *duelent*
Pr. sub. : *dueille*, etc.
Impér. : *duel* - *dolons* - *dolez*
Impft ind. : *doloie*, etc.
Passé : *dolui*, etc. (voir p. 88)
Impft sub. : *dolusse*, etc.
Part. pas. : *dolu*
Fut. : *doldrai*, *deuldrai*
Cond. : *doldroie*, *deuldroie*
Part. pr. : *dolant*

DONER

Pr. ind. : *doins*, *doing*, *done* - *dones* - *done* - *donons* - *donez* - *donent*
Pr. sub. : *doinse*, *doigne* - *doinses*, *doignes* - *doinse*, *doigne*, *doinst*, *doint*, *dont* - *doinsons*, *doignons*, *doinsiens*, *doigniens*, *donons* - *doinsiez*, *doigniez*, *donez* - *doinsent*, *doignent*
Et encore : *donge* - *donges*, etc. (voir Aler)
Impér. : *done*, etc.
Impft. ind. : *donoie*, etc.
Passé : *donai*, etc.
Impft sub. : *donasse*, etc.
Part. pass. : *doné*
Fut. : *donrai*, *dorrai*, etc.
Cond. : *donroie*, *dorroie*, etc.
Part. pr. : *donant*

ESTER

Pr. ind. : *estois* - *estais*, *estas* - *estait*, *esta* - *estons* - *estez* - *estont*
Pr. sub. : *estoise*, *estace* - *estoises*, *estaces* - *estoist*, *estace* - *estons* - *estez* - *estoisent*, *estacent*

Impér. : *esta - estons - estez*
Impft ind. : *estoie*, etc.
Passé : *estui* (voir p. 90)
Impft sub. : *esteüsse*
Part. pas. : *esté*
Fut. : *esterai*, etc.
Cond. : *esteroie*, etc.
Part. pr. : *estant*

ESTOVOIR

(impersonnel)

Pr. ind. : *estuet*, *esteut*
Pr. sub. : *estuisse*, *estuece*
Impft ind. : *estovoit*
Passé : *estut**
Impft sub. : *esteüst*, *estoüst*
Part. pas. : *estoü*, *esteü*
Fut. : *estovra*
Cond. : *estovroit*

FAIRE (OU FERE)

Pr. ind. : *faz - fais - fait - faimes*, *faisons*, *fomes - faites - font*
Pr. sub. : *face*, etc.
Impér. : *fai - faimes*, *faisons - faites*
Impft ind. : *faisoie*, etc.
Passé : *fis - fesis*, *feïs*, etc (voir p. 90)
Impft sub. : *fesisse*, *feïsse*, etc.
Part. pas. : *fait*
Fut. : *ferai*, etc.
Cond. : *feroie*, etc.
Part. pr. : *faisant*

FERIR

Pr. ind. : *fier - fiers - fiert - ferons - ferez - fierent*
Pr. sub. : *fiere - fieres - fiere - feriens - feriez - fierent - fierge*, etc. (voir Aler)

(*) Ne pas confondre *estut* de *ester* avec *estut* de *estovoir*.

Impér. : *fier* - *ferons* - *ferez*
Impft ind. : *feroie*, etc.
Passé : *feri*, etc.
Impft sub. : *ferisse*, etc.
Part. pas. : *feru*, *feri*
Fut. : *ferrai*, etc.
Cond. : *ferroie*, etc.
Part. pr. : *ferant*

HAÏR

Pr. ind. : *hai*, *hé*, *haz* - *hez* - *het* - *haons* - *haez* - *heent*
Pr. sub. : *hace*, etc. et *hée* - *hées* - *hée*, etc.
Impér. : *hé* - *haons* - *haez*
Impft ind. : *haoie*, etc.
Passé : *haï*, etc.
Impft sub. : *haïsse*, etc.
Part. pas. : *haï*
Fut. : *harrai*, etc.
Cond. : *harroie*, etc.
Part. pr. : *haant*, *haïssant*

JOÏR

Pr. ind. : *joi* - *joz*, *jois* - *jot*, *joit*, *joïst* - *joons*, *joïssons* - *joez*, *joïssez* - *joent*, *joient*, *joïssent*
Pr. sub. : *joie*, *joïsse*, etc.
Impér. : *joi* - *joez*, *joiez*
Impft ind. : *jooie*
Passé : *joï*
Impft sub. : *joïsse*
Part. pas. : *joï*
Futur : *jo(r)rai*, *joïrai*
Cond. : *jorroie*, *joïroie*
Part. pr. : *joant*, *joiant*

LOISIR

(impersonnel)

Pr. ind. : *loist*
Pr. sub. : *loise*
Passé : *lut**

(*) Ne pas confondre *lut* de *loisir* et *lut* de *lire*.

Impft sub. : *leüst*
Part. pas. : *leü*

MANOIR (OU MAINDRE)

Pr. ind. : *maing - mains - maint - manons - manez - mainent*
Pr. sub. : *maigne*, etc.
Impér. : *main - manons - manez*
Impft ind. : *manoie*, etc.
Passé : *mes - masis - mest - masimes - masistes - mestrent*
Impft sub. : *masisse*, etc.
Part. passé : *mes*
Fut. : *mandrai*, etc.
Cond. : *mandroie*, etc.
Part. pr. : *manant*

N. B. : REMANOIR
Passé : *remes - remesis - remest - remesimes - remesistes - remestrent*

MORIR

Pr. ind. : *muir - muers - muert - morons - morez - muerent*
Pr. sub. : *muire*, etc.
Impér. : *muir - morons - morez*
Impft ind. : *moroie*, etc.
Passé : *morui*, etc (voir p. 88)
Impft sub. : *morisse*, *morusse*, etc.
Part. pas. : *mort*
Fut. : *morrai*, etc.
Cond. : *morroie*, etc.
Part. pr. *morant*

MOVOIR

Pr. ind. : *muef - mues - muet - movons - movez - muevent*
Pr. sub. : *mueve*, etc.
Impér. : *muef - movons - movez*
Impft ind. : *movoie*, etc.

Passé : *mui* - *meüs*, etc (voir p. 90)
Impft sub. : *meüsse*, etc.
Part. pas. : *meü*
Fut. : *movrai*, etc.
Cond. : *movroie*, etc.
Part. pr. : *movant*

NUISIR (OU NUIRE)

Pr. ind. : *nuis* - *nuis* - *nui(s)t* - *nuisons* - *nuisiez* - *nuisent*
Pr. sub. : *nuise*, etc.
Impér. : *nuis* - *nuisons* - *nuisiez*
Impft ind. : *nuisoie*, etc.
Passé : *nui* - *neüs*, etc. (voir p. 90).
Impft sub. : *neüsse*, etc.
Part. pas. : *neü*
Fut. : *nuirai*, etc.
Cond. : *nuiroie*, etc.
Part. pr. : *nuisant*

OÏR

Pr. ind. : *oi* - *oz* - *ot*(*) - *oons* - *oez* - *oent*, *oient*
Pr. sub. : *oie* - *oies* - *oie* - *oiiens*, *oions* - *oiiez*, *oiez* - *oient*
Impér. : *o* - *oons* - *oez*, *oiez*
Impft ind. : *ooie*, etc.
Passé : *oï* - *oïs* - *oï* - *oïmes* - *oïstes* - *oïrent*
Impft sub. : *oïsse*, etc.
Part. pas. : *oï*
Fut. : *orrai*, etc.
Cond. : *orroie*, etc.
Part. pr. : *oant*, *oiant*.

(*) Ne pas confondre avec *oi* et *ot* du passé simple du verbe *avoir*.

PAROIR

Pr. ind. : *per - pers - pert - parons - parez - perent*
Pr. sub. : *paire*, *pere*, etc.
Impér. : *per - parons - parez*
Impft ind. : *paroie*, etc.
Passé : *parui*, etc (voir p. 88)
Impft sub. : *parusse* (voir *ibid.*)
Part. pas. : *paru*
Fut. : *parrai*, etc.
Cond. : *parroie*, etc.
Part. pr. : *parant*

PLAISIR (OU PLAIRE)

Pr. ind. : *plaz - plais - plaist - plaisons - plaisiez - plaisent*
Pr. sub. : *place*, *plaise*, etc.
Impér. : *plais - plaisons - plaisiez*
Impft ind. : *plaisoie*, etc.
Passé : *ploi - ploüs*, *pleüs - plout*, *plot*, *plut*, etc (Voir p. 90)
Impft sub. : *ploüsse*, *pleüsse*, etc.
Part. pas. : *ploü*, *pleü*
Fut. : *plairai*, etc.
Cond. : *plairoie*, etc.
Part. pr. : *plaisant*

POOIR

Pr. ind. : *puis - puez - puet*, *peut - poons - poez - pueent*
Pr. sub. : *puisse - puisses - puisse*, *puist - puissiens puissons - puissiez - puissent*
Impft ind. : *pooie*, etc.
Passé : *poi - poüs*, *peüs - pout*, *pot - poümes*, *peümes - poüstes*, *peüstes - pourent*, *porent*
Impft sub. : *poüsse*, *poïsse*, *peüsse*, etc.*
Part. pas. : *poü*, *peü*

(*) Ne pas confondre *poïst*, 3e pers. sing. du subj. impf. de *pooir*, avec *poist*, 3e p. sing. du subj. pr. de *peser*.

Fut. : *porrai*, etc.
Cond. : *porroie*, etc.
Part. pr. : *poant*, *puissant*
N. B. Mêmes formes du passé pour le verbe PAISTRE.

QUERRE (QUERIR)

Pr. ind. : *quier* - *quiers* - *quiert* - *querons* - *querez* - *quierent*
Pr. sub. : *quiere*, etc.
Impér. : *quier* - *querons* - *querez*
Impft ind. : *queroie*, etc.
Passé : *quis* - *quesis* - *quist*, etc (voir p. 90)
Impft sub. : *quesisse*, *queïsse*, etc.
Part. pas. : *quis*
Fut. : *querrai*
Cond. : *querroie*
Part. pr. : *querant*

SAVOIR

Pr. ind. : *sai* - *ses*, *sez* - *set* - *savons* - *savez* - *sevent*
Pr. sub. : *sache*, etc.
Impér. : *saches*, etc.
Impft ind. : *savoie*
Passé : *soi* - *soüs*, *seüs* - *sout*, *sot*, etc. (voir p. 90).
Impft sub. : *soüsse*, *seüsse*
Part. pas. : *seü*
Fut. : *savrai*
Cond. : *savoie*
Cond. : *savroie*
Part. pr. : *savant*, *sachant*

SIVRE (SIURE, SEURRE, SUIVIR, SUIVRE)

Pr. ind. : *siu*, *sieu*, *sui* - *sius*, *sieus*, *suiz* - *siut*, *sieut*, *suit* - *sivons* - *sivez* - *sivent*, *suient*, *sieuent*
Pr. sub. : *sive*, *sieue*, *siue* - *sives*, *siues*, *sieues* - *sive*, *sieue*, *siue* - *sevons*, *sivons* - *sevez*, *sivez* - *sivent*, *siuent*, *sieuent*
Impér. : *siu*, *sieu* - *sivons* - *sivez*
Impft ind. : *sivoie* (aussi : *suioie*, etc.)

Passé : *sivi*
Impft sub. : *sivisse*
Part. pas. : *sui*, *seü*
Fut. : *sivrai*
Cond. : *sivroie*
Part. pr. : *sivant*

SOLOIR

Pr. ind. : *sueil* - *seus*, *seauz* - *sueut*, *seut*, *seaut*, *siaut* - *solons*, *solez* - *seulent*
Pr. sub. : *sueille*
Impr. : *suel* - *solons* - *solez*
Impft ind. : *soloie*
Passé : *solui* (voir p. 88), *soului*
Impft sub. : *solusse*, *soulusse*
Part. pas. : *solu*, *soulu*
Fut. : *soudrai*
Cond. : *soudroie*
Part. pr. : *solant*

TORDRE

Pr. ind. : *tor* - *torz* - *tort* - *tordons* - *tordez* - *tordent*
Pr. sub. : *torde*, *torge*
Impér. : *tor*
Impft ind. : *tordoie*
Passé : *tors* - *torsis* - *torst* - *torsimes* - *torsistes* - *torstrent*
Impft sub. : *torsisse*
Part. pas. : *tors*
Fut. : *tordrai*
Cond. : *tordroie*
Part. pr. : *tordant*

TORNER

Pr. ind. : *torne*, etc.
Pr. sub. : *torn* - *torz* - *tort*, *tourt** - *tornons*, etc.
Fut. : *tornerai* et *torrai*

(*) Ne pas confondre la 2e et la 3e pers. sing. à l'ind. pr. de *tordre* et au subj. pr. de *torner*.

TOUDRE (TOLIR)

Pr. ind. : *toil* - *tous* - *tout* - *tolons* - *tolez* - *tolent*
Pr. sub. : *toille* et *tolge*, etc.
Impér. : *tol*
Impft ind. : *toloie*
Passé : *tous*, *toli* - *tousis*, *tolis*, etc.
Impft sub. : *tolisse*, *tolsisse*, etc.
Part. pas. : *toloit*, *tolu*
Fut. : *toudrai*
Cond. : *toudroie*
Part. pr. : *tolant*

TROVER

Pr. ind. : *truis* - *trueves*, *treuves* - *trueve*, *treuve* - *trovons* - *trovez* - *treuvent*
Pr. sub. : *truisse* - *trueves*, *treuves* - *truisse*, *truist*, *treuve* - *truissiens* - *truissiez* - *truissent*

VIVRE

Pr. ind. : *vif* - *vis* - *vit* - *vivons* - *vivez* - *vivent*
Pr. sub. : *vive*, etc.
Impér. : *vif* - *vivons* - *vivez*
Impft ind. : *vivoie*
Passé : *vesqui* - *vesquis* - *vesqui*, etc.
Impft sub. : *vesquisse*
Part. pas. : *vescu*
Fut. : *vivrai*
Cond. : *vivroie*
Part. pr. : *vivant*

VOLOIR

Pr. ind. : *vueil*, *vuel*, *vol* - *vueus*, *veus*, *viaus*, *veauz* - *vueut*, *veut*, *viaut*, *veaut* - *volons* - *volez* - *vuelent*, *volent*

Pr. subj. : *vueille*, *vuelle*, etc. - *voilliens*, *vuellons* - *voilliez*, *vuelliez* - *vueillent*
Impft. ind. : *voloie*
Passé : *voil*, *vol*, *vos* - *volis*, *vousis* - *volt*, *vout*, *vot*, *vost* - *volimes*, *vosimes*, etc. *voldrent*, *voudrent*
Impft sub. : *vosisse*, *volisse*, etc (voir p. 89)
Part. pas. : *volu*
Fut. : *voudrai*, *vourrai*
Cond. : *voudroie*, *vourroie*
Part. pr. : *volant*, *voillant*, *vueillant*

SYNTAXE DU VERBE

A. — Les formes impersonnelles

Elles sont d'un emploi plus étendu qu'en français moderne ; elles notent en particulier :

a) un passif impersonnel :

Ja n'en fust mes parlé avant

= On n'aurait jamais parlé d'eux par la suite (Thé 8)

Que commandé me fu et dit

= car il me fut commandé et dit (Guill. d'A. 1208) (car on m'ordonna et on me dit...)

b) un moment du jour, un phénomène météorologique :

Ains qu'il ajournast

= avant l'aube (Feu 839)

Tone et pluet, vante et esclaire (Ené 191)

c) une notion abstraite de nécessité :

Or m'estovra sofrir fortune

= à présent il me faudra souffrir le hasard (Bé 249)

d) un sentiment, et surtout un souvenir :

Molt li fu bel et molt li plot
de ce qu'il sont en lait tripot

= il lui fut bien agréable et il lui plut fort qu'ils fussent dans une mauvaise passe (Bé 3857-8)

Menberra moi de vous sovent

= il me souviendra de vous souvent (Bé 2701)

B. — Les formes pronominales

Jusqu'au XVIe siècle elles resteront très courantes ; elles marquent parfois une nuance subjective qu'il est assez délicat de préciser :

Yseut s'en rist (Bé 527)
Se ele s'en fust apensee
= si elle s'en était avisée (Bé 753)

Dans certains cas, mais plus rarement, c'est le français moderne qui a substitué la forme pronominale à la forme simple de l'ancien français :

Li criz live par la cité
= le cri s'élève (Bé 827)

Bien les veïse entrebaisier
= il les aurait vu s'embrasser (Bé 303).

C. — Transitif et intransitifs

Nous noterons seulement ici que les constructions des verbes peuvent différer de l'ancien français au français moderne ; ainsi *croistre* peut être transitif comme actuellement *accroître* ; *ressembler* par exemple se construit sans préposition :

Un vilain qui ressanbloit mor
= un paysan qui ressemblait à un Maure (Yv 288) ; *marier* a en ancien français, comme verbe transitif, les deux sens qu'il a gardés en anglais :

Mes l'empereres me marie
= mais l'empereur m'épouse (Cli 3098).

On se reportera aussi à la p. 27.

D. — L'accord

Le verbe peut ne s'accorder qu'avec le sujet le plus proche s'il y a plusieurs sujets, et surtout s'il les précède :

Mult i avoit grant fiance li cuens de Flandres et li perelin

= le comte de F. et les pèlerins y avaient grande confiance (Vil 49)

Li rois Artus et la reïne
est ci près en une gaudine

= le roi et la reine sont près d'ici, dans un bois (Er 3981-2)

Les deux vers suivants présentent dans l'accord quelque illogisme :

Lasent le plain, et la gaudine
s'en vet Tristan et Governal

= T. et G. laissent la plaine et s'en vont par le bois (Bé 1272-3)

Mais on trouve très logiquement le pluriel avec *entre* (voir p. 129) :

Einsi vilment les amenoient
antre le jaiant et le nain

= le géant et le nain les amenaient ainsi laidement (Yv 4110-1)

L'accord avec le sujet collectif est fort libre :

Par ci trespasse maintes genz

= beaucoup de gens passent par ici (Bé 994)

Ja verroiz plainne ceste sale
de jant mout enuieuse et male
qui trover vos i cuideront

= Vous verrez cette salle pleine d'une foule bien fâcheuse et hostile, de gens qui se figurent vous y trouver (Yv 1067-9)

On peut même trouver le pluriel après *chacun* :

Rendirent a chascun son passage tel con il l'avoient paié (Vil 193)

E. — Les personnes

L'absence de pronom sujet peut entraîner quelque amphibologie, mais l'ancien français ne s'en soucie guère ; même exprimé, il n'est pas toujours clair : « *S'il* (Alexis III) *voloit a la merci son nevou venir, et li* (à son neveu) *rendoit la corone.. nos li* (le neveu) *proieriens que il* (le neveu) *li* (à Alexis III) *perdonast...* » (Vil 144 : cité par M. Faral).

— Un brusque passage de *tu* à *vous*, ou de *vous* à *tu* paraît traduire une émotion forte ; toutefois cela n'est pas admis par toutes les interprétations :

Il vos navra d'un javelot,
sire, dont tu deüs morir

= il vous blessa d'un javelot, seigneur, et tu faillis en mourir (Bé 856-7)

Sains Nicolais, car me regarde !
Je me suis mis en vostre garde

= St N., tourne donc les yeux vers moi ! Je me suis mis en votre garde (Ni 1267-8)

« *Quar lor criez merci que il aient de toi pitié et de ton pere* »

= Criez-leur donc merci pour qu'ils aient pitié de toi et de ton père (Vil 71)

F. — Les modes

L'emploi des modes est plus souple en ancien français que dans la syntaxe moderne ; nous relèverons ici les traits essentiels de l'usage lorsqu'il diffère de nos habitudes grammaticales.

Le subjonctif

Dans les propositions indépendantes, il exprime couramment un souhait ou un ordre, et normalement sans appui de la conjonction *que* :

« *Male gote les eulz li criet* ! »
= que « l'amaurose » lui crève les yeux ! (Bé 1916)
(*criet* est le subjonctif présent du verbe *crever*.)

Mais dans un texte dramatique du XIIIe siècle on lit :

Sos puans ! *ke Dieus vous honnisse* ! (Feu 1086)

et dans la langue parlée, il est clair que la conjonction s'est imposée plus tôt que dans la langue littéraire.

— Dans les propositions subordonnées, il s'emploie :

a) après les verbes de volonté, là où le français emploie de préférence aujourd'hui un infinitif complément :

Preerai Dieu qu'il merci ait
de moi
= je prierai Dieu d'avoir pitié de moi (Bé 931-2)

Je ne seroie pas tant ose
que je i osasse venir
= je n'aurais pas l'audace d'oser y venir (Bé 62-3)

b) habituellement après *cuidier*, *croire*, *penser*, *m'est avis* : distinguant entre verbes de la parole et verbes de la pensée, l'ancien français retient en effet fréquemment le caractère subjectif de ceux-ci, même quand la proposition n'est pas négative ; mais il n'a pas fait de cette habitude une règle :

Je me pens que ce soit ma fame (Cha 256).

Voici quelques exemples pris à BÉROUL :

« Li rois pense que par folie
Sire Tristan, vos aie amé »

= le roi se figure que je vous ai aimé d'amour coupable (Bé 20-1) : la reine parle en présence du roi et donne cette opinion comme une erreur ; c'est une erreur aussi que commettent les compagnons du baron tué par Goverval :

Bien quident ce ait fait Tristan

= ils s'imaginent que c'est Tristan qui l'a fait (Bé 1717).

Mais nous pourrions trouver le subjonctif même dans le cas d'une opinion fondée :

Je quidai jadis que ma mere
amast molt les parenz mon pere

= je pensai jadis que ma mère aimait beaucoup les parents de mon père (Bé 73-4). Iseut ne nous donne pas à croire qu'elle se soit trompée, au contraire.

Ailleurs, nous attendrions le subjonctif : il s'agit en effet d'un cauchemar d'Iseut, mais le poète a employé l'indicatif :

Avis estoit a la roïne
qu'ele ert en une grant gaudine

= il semblait à la reine qu'elle était dans un grand bois (Bé 2065-6).

Dans le *Jeu de la Feuillée*, si l'on écarte un subjonctif à valeur d'irréel aux vers 699-701, sur six autres propositions commandées par le verbe *cuidier* le poète a employé quatre fois le subjonctif (v. 22, 86, 575, 700), deux fois l'indicatif (v. 152, 341), et la nuance de l'affirmation paraît plus accusée quand ADAM recourt à l'indicatif. Une subordonnée au verbe *croire* est construite avec le subjonctif (v. 581).

c) dans la subordonnée interrogative indirecte qui vise l'avenir, après principale négative :

Ne set qu'il face

= il ne sait que faire (Bé 1615).

d) parfois dans la subordonnée de comparaison, surtout quand elle s'accompagne d'une négation :

Je vos aim plus que vos ne faciés mi (Auc XIV, 16)
Je sui mieus prinches k'il ne soit

= je suis plus prince que lui (Feu 407). — Mais on y trouve aussi l'indicatif (voir Cha 533, 763).

e) dans les systèmes hypothétiques, l'imparfait pour traduire l'irréel du passé :

Quar, se Tristan fust esvelliez,
li niés o l'oncle se meslast,
li uns morust, ainz ne finast

= car, si T. avait été éveillé, le neveu aurait combattu l'oncle, l'un d'eux serait mort, cela n'aurait pas fini avant (Bé 1966-8).

Mais aussi, surtout dans le cas des verbes *devoir*, *pouvoir*, *vouloir*, là où un conditionnel serait possible, associé à l'imparfait de l'indicatif, pour exprimer des hypothèses portant sur le présent :

Ne vosisse la departie
s'estre peüst la compaignie

c'est-à-dire : « Je ne voudrais pas présentement la séparation s'il nous était possible de vivre ensemble »

(Bé 2251-2) : on pourrait du reste voir là un irréel du passé.

f) par attraction dans une proposition subordonnée à une proposition au subjonctif :

ne riens grever ne me peüst
tant comme mes las cuers seüst
que li vostres de riens m'amast

= et rien n'aurait pu me peiner, tant que mon pauvre cœur aurait su que le vôtre m'aimait un tant soit peu (Cha 781-3).

Le conditionnel (*ou forme en -roie*)

On le trouve comme dans l'usage moderne dans la proposition principale, associé à l'imparfait de l'indicatif de la subordonnée, pour correspondre aux hypothèses qui visent présent ou avenir.

L'indicatif

Contrairement à la syntaxe moderne, ce mode s'emploie (et s'emploiera jusqu'au XVIIe siècle) après les verbes ou des expressions de sentiment :

Ce poise moi que tant fait as

= je suis fâché que tu aies tant fait (Fo Be 188)

Mes ce me desabelist mout
qu'eles sont de cors et de vout
megres et pales et dolantes

= mais cela me déplaît fort qu'elles soient de corps et de visage maigres, pâles et affligées (Yv 5231-3)

Si sui mout liés ke je te voi

= et je suis bien heureux de te voir (Feu 345).

L'infinitif

Il est employé fréquemment avec une valeur d'impératif :

a) pour marquer la défense, soit avec *ne* :

Merci ! ne m'ocirre tu pas !

= pitié ! ne me tue pas ! (Er 990)

Ne te haster (Bé 1023)
Ne te movoir (Bé 1911)

— soit comme complément du verbe *garder* :

Garde ne demorer tu pas

= garde-toi de t'attarder (Yv 734).

b) pour intimer un ordre avec *or* (+ *de* et l'article) :

Or del cerchier par toz ces angles

= cherchez-le dans tous ces coins (Yv 1127)

Sains sepulcres, aïe ! Segneur, or du bien faire !

= Saint Sépulcre, à l'aide ! Seigneurs, faites votre devoir (Ni 396).

— Employé comme nom et précédé de l'article, l'infinitif peut encore recevoir un complément d'objet :

Si n'i ot que de l'avaler
le pont

= il n'y eut plus qu'à abaisser le pont (Yv 4165-6).

Li bauptiziers la gent vileinne
Dura bien pres d'une semainne

= le baptême (littéralement : le fait de baptiser) des vilains... (Floi 3018-9).

G. — LES TEMPS

Présent et passé simple, dans une moindre mesure passé composé, se mêlent dans le récit, en apparence employés indifféremment, mais l'apparence est souvent trompeuse :

Tristan prist l'arc, par le bois vait,
vit un chevrel, ancoche et trait,
el costé destre fiert forment ;
brait, saut en haut et jus decent ;
Tristan l'a pris, atot s'en vient (Bé 1285-9).

On peut dire de *prist* et de *vit* qu'ils répondent à un seul instant, tandis que *vait* répond à une certaine durée de la « quête » ; pour les présents qui suivent, ils s'expliquent par un souci très visible de rapidité : mais le poète aurait pu aussi bien recourir au passé simple. Au dernier vers, le passé composé a valeur d'*aspect*, comme il arrive si souvent : Tristan *a pris* le chevreuil et maintenant le *tient* ; le présent note la durée du retour. Ainsi le présent est susceptible d'une valeur propre quand il marque une durée, mais il peut aussi équivaloir au passé simple pour enregistrer un épisode du récit.

Il semble qu'on arrive à des conclusions voisines avec la prose de Villehardouin : « Le présent historique et le parfait simple de l'indicatif alternent souvent dans les propositions coordonnées d'une même phrase », note M. Faral (II, 325) :

Li message s'en vont et distrent (par. 24).

A cette réserve près que le français moderne ne mélangerait pas dans un récit le présent au passé simple, on peut dire que le *présent* est déjà le temps que nous connaissons.

— De même, l'*imparfait* a les valeurs modernes ; mais il est beaucoup moins employé qu'aujourd'hui car, pour indiquer les qualités de quelqu'un, dans un portrait p. ex., on utilise couramment le *passé simple* :

Governal sot *de la cuisine*

= G. savait un peu de cuisine (Bé 1294)

Les eulz out *vers, les cheveus sors*

= elle avait les yeux vairs, les cheveux châtain clair (Bé 2888)

La contree fu bele et riche (Vil 135)

— *Le passé simple* présente l'événement d'un coup, globalement, sans marquer la durée comme l'imparfait ; c'est le temps traditionnel du récit :*

Jadis avint *en Normendie...* (Am 1).

— La valeur d'*aspect* du *passé composé* tient à ce qu'il note le résultat d'une action accomplie :**

*El lit s'*est lessie *cheoir*
la chastelaine mout dolente

= la ch. bien triste s'est laissé tomber sur le lit (Cha 730) - c'est-à-dire qu'elle y est *présentement* étendue.

— C'est aussi une notion d'*aspect* qui permet de

(*) Parfois l'anc. fr. emploie un passé simple où l'on aurait aujourd'hui un plus-que-parfait :

Nos i geümes mainte nuit
en nostre lit que nos fist faire

= nous y couchâmes mainte nuit, dans le lit qu'il nous avait fait faire (Bé 2820-1).

(**) On rencontre déjà quelques cas de la substitution du passé composé au passé simple, chez les poètes, mais la chose n'est pas courante.

différencier deux temps « de l'antériorité relative » : le *passé antérieur* correspond à une action pleinement *révolue* dans le passé - tandis qu'en principe* le *plus-que-parfait*, apparenté à l'imparfait, correspond à une action *en cours* au moment où se place le narrateur :

Quant Erec ot *tot* escoté
quanque ses ostes ot conté

= quand E. eut achevé d'écouter tout ce que son hôte lui conta (Er 547-8)

Cil qui devant erent alé
avoient *ja le cerf* levé

= ceux qui avaient passé devant avaient déjà levé le cerf (Er 117-8).

Dans le premier cas, la réponse de l'hôte est complète ; dans le second, ceux qui ont passé devant ne sont pas revenus, le cerf levé n'a encore été abattu, la chasse se poursuit.

— Notons enfin que le souci de la concordance des temps, si impérieux dans la syntaxe moderne, ne s'impose pas avec la même rigueur aux écrivains du Moyen Age ; ils y renoncent au besoin :

(Tristan) connut *que* c'est *l'espee au roi* (Bé 2083)

Et distrent *qu'il* parleroient *ensemble et lor en* respondront (Vil 24).

— Les indications que nous venons de donner sont nécessairement sommaires et générales ; il fau-

(*) Le plus-que-parfait peut se trouver déjà à la place du passé antérieur ; mais l'inverse n'est pas vrai. Le passé antérieur s'est bien maintenu après les conjonctions de temps.

drait faire pour chaque auteur des relevés afin de déterminer précisément leur usage.

H. — LES ASPECTS

Il ne peut être question ici que de quelques-uns d'entre eux. Nous avons déjà évoqué l'un deux, celui de l'*achèvement*, qui apparaît très fréquemment avec les temps composés.

L'action qui dure est exprimée par la périphrase bien connue du verbe *aller* suivi d'un gérondif :

> ....*la pucele trova*
> *qui par le bois* aloit criant

= il trouva la jeune fille qui parcourait le bois en criant (Er 4300-1) ; mais c'est un procédé d'expression qui est dès cette époque bien usé.

L'action manquée peut s'exprimer par le verbe *devoir*, comme aussi avec les formules *a poi que*, *por* ou *par poi que* = peu s'en fallut que (ou simplement *a poi*, *por poi*), suivies de l'indicatif :

> *Mes trespassé vos* dui *avoir*
> *ce qu'a trespasser ne fet mie*

= mais j'ai failli passer sous silence ce qu'il ne convient pas d'omettre (Cli 4244-5)

> par poi qu'*il ne reçurent mort* (Bé 1852)
> pur poi *ne l'apelet s'amie* (Gui 418).

X. — LES MOTS INVARIABLES

PARTICULES ET ADVERBES, PRÉPOSITIONS, CONJONCTIONS

La frontière est incertaine en ancien français entre l'adverbe et la préposition (et cela durera jusqu'au XVIIe siècle) comme entre l'adverbe et la conjonction : pourtant cette dernière distinction n'est pas seulement le fait des grammairiens postérieurs, puisqu'en ancien français la présence de la conjonction en tête d'une proposition n'entraîne pas la postposition du sujet (« inversion », disons-nous) tandis que l'adverbe l'entraîne :

Lors vit bien Enyde *et soucha*
que ele *pooit trop atandre*

= alors E. vit bien et soupçonna qu'elle risquait d'attendre trop longtemps (Er 3456-7).

A. — Particules négatives

Ce sont essentiellement *non*, forme tonique, et *ne*(*n*), forme atone : issues toutes deux du latin *non*.

NON

a) Pour une négation de riposte, on emploie *non* qu'on fait suivre du verbe repris à l'interlocuteur, sans autre addition :

« *Tu as... — Non ai.* »
« *Tu es... — Non sui.* »

Ou encore on recourt après *non* au verbe « passe-partout » : *faire* :

« *Ha ! biaus dous fieus, seés vous cois*
. . . .
— Non ferai. »

= Ha ! beau doux fils, asseyez-vous tranquillement — Non ! (Feu 396 et 398).

Sans employer de verbe, on utilise *non* (*nen*) avec l'appui d'un pronom, en principe approprié à la personne qui répond :

Naie ou *Je non* — *Nenil* (>*nenni*) — *Non vous* (pour l'affirmation, voir p. 50).

b) Mais *non* s'emploie encore dans l'alternative :

Qui foi li porte ne qui non

= qui lui est fidèle et qui ne l'est pas (Cha 116) — et dans la restriction, associé à la conjonction de condition *se* (dont il est toujours séparé par un mot au moins, à la différence de notre *sinon*) :

Une chasuble en fu faite
qui ja du tresor n'iert hors traite
se *as grans festes anvés* non

= On en fit une chasuble qui ne sera tirée du trésor qu'aux grandes fêtes annuelles (Bé 2991-3).

N. B. Pour protester, après une proposition négative, on emploie *si* comme ci-dessus *non* :

Si estes   *Si fait*

mais on l'emploie également pour marquer son accord (évidemment sur un autre ton) :

Si ferai jou

= c'est ainsi que je ferai.

NE

(*nen* seulement devant voyelle, *ne* en toute position, mais élidé devant voyelle).

Ne s'emploie dans la proposition négative, et se

suffit sans aucun appui (comme on le voit encore parfois aujourd'hui) :

Et se ce fere ne *volez*

= et si vous ne voulez pas faire cela (Cha 265).

Mais il est souvent renforcé de mots *sans valeur négative propre* :

a) adjectifs, ou pronoms comme *aucun*, *nus* (CR *nului* = quelqu'un) :

Cil ne set nul *conseil de soi*

= celui-ci ne voit pas quel parti prendre (Cha 268) (*nul* adjectif au CR)

Et a commandé que nului
ne remaingne leenz que lui

= et il a commandé que nul n'y reste que lui (Cha 523-4) (*nului* devrait être CR du pronom, et non CS).

b) adverbes comme *mais* (*mes*), *onques*, *ja* (et leurs composés), qui ont valeur temporelle, — *gueres* (*gaires*) = beaucoup, — *plus*, *qui ne note que la quantité* (et non la durée comme en français moderne) :

Or n'en parlez ja

= *n'en parlez plus désormais* (Cha 504)

N'a gueres

= il n'y a guère (de temps)

Cele ne tint a lui plus plait

= elle ne lui en dit pas plus long (Cha 103).

c) noms qui indiquent une petite quantité, une unité, ou qui désignent un objet sans valeur : *pas*, *mie*, *point*, *goutte*, *rien*, *nient* (négatif d'origine), *âme*, *créature*, *chose* — *pomme*, *pois*, *ail*, *cive*, *bille*, *festu*, *denier*, etc.

> *Ne vous vaut* riens *li escondiz*

= le démenti ne vous avance à rien (Cha 206)

> *Quant ge ai delez moi ma fille,*
> *tot le mont ne pris* une bille

= quand j'ai ma fille près de moi je ne prise pas le monde entier une bille (Er 541-2).

N. B. On prendra bien garde de ne pas confondre la négation *ne* dont il vient d'être question (issue de *non* latin) et la conjonction de coordination *ne* (issue de *nec* latin, mais sans valeur négative) que l'on étudiera plus loin :

> Ne ne *pooit mes gueres nuire*
> *li uns a l'autre*

= et ils ne pouvaient plus se faire beaucoup de mal (Er 5938-9).

Dans ce groupe fréquent de *ne ne*, le 1er coordonne et le 2e est la négation.

B. — Particules de liaison

Nous sommes amené à distinguer entre adverbes et conjonctions de coordination, mais cette distinction, un peu fragile, n'a d'intérêt que pour l'ordre des mots, ainsi qu'il a été dit. Les conjonctions de coordination, dont nous traiterons d'abord, ne modifient pas l'ordre des mots (non plus que les conjonctions de subordination) ; il n'en est pas de même des adverbes.

1) *Conjonctions*

ET

a) quelquefois associé à *entre*, qui signifie « à la fois » :

antre le jaiant et le nain (Yv 4111).

b) introduit parfois une principale après sa subordonnée et ne se traduit pas :

Et quant ce vint as lances baissier, et *li Greu lor tornent les dos*

= et quand on en vint à baisser les lances, les Grecs leur tournent le dos (Vil 157)

Quoi que li feste estoit plus plaine, et *Aucassins fu apoïés a une puie*

= tandis que la fête battait son plein, Aucassin était appuyé à une balustrade (Auc XX, 12).

c) comme en français moderne, peut marquer des nuances de cause, de conséquence, d'opposition même.

OU

Il faut seulement noter que l'emploi de *ou* est plus restreint qu'aujourd'hui en raison de l'emploi de *ne*.

NE

Signifie *et*, *ou*, *ni* ; s'élide ou ne s'élide pas.

a) coordonne deux propositions *dont la seconde est négative* :

Sire, vos n'en avez talent

ne je..
n'ai corage de drüerie

= Seigneur, vous n'en avez pas le désir et je n'ai pas envie non plus de fol amour (Bé 31-33).

b) coordonne deux subordonnées ou deux compléments dépendant d'une proposition qui n'est pas purement affirmative :

S'il nos trovout ne pooit prendre,
il nos feroit ardoir ou pendre

= s'il nous trouvait et pouvait nous prendre, il nous ferait brûler (Bé 1557-8)

...je n'en croiroie mie
ne vous ne autre creature

= je n'en croirais ni vous ni personne d'autre (Cha 542-3)

...toz jors mes vous amerai
ne jamés jor ne vous harrai

= je vous aimerai toujours et ne vous haïrai jamais (Cha 493-4).

Toutefois dans ce dernier emploi on peut trouver *et* comme *ne*.

N. B. *Neïs* (ou *nes*, *nis*) n'a pas par lui-même de valeur négative et signifie *même* (*même pas* dans une proposition négative) :

Nes li oisel s'an istront fors

= même les oiseaux partiront (Yv 400).

CAR

(quelquefois sous la forme *quer*).

a) appuie un ordre à l'impératif ou au subjonctif :

Car le me faites delivrer
= libérez-le-moi donc (Bé 205).

b) valeur moderne.

QUE

Il sera question p. 141 et suivantes de la conjonction de subordination, qui est le même mot, bien entendu ; mais *que* s'emploie couramment, sinon dans les textes du début du XIIe siècle, du moins dans la suite, comme synonyme de *car* : il a peut-être un sens légèrement plus faible :

De nos voisins feron partir
de cort, que *nel poon soufrir*
= nous ferons quitter la cour à nombre de nos voisins, car nous ne pouvons le souffrir (Bé 623-4)

Je ne sai que face, par m'ame,
que *tant m'afi en vous et croi...*
= je ne sais que faire, par mon âme, car j'ai tant de confiance en vous (Cha 636-7).

MAIS (OU MES)

habituellement conjonction.

a) du sens originel de *plus* (< *magis* latin) se réduit au sens temporel de *désormais*, *jamais*.

Ne... mais se traduira par *ne... plus* :
Ne me mandez nule foiz mais
= ne me mandez plus désormais (Bé 17).

Mais peut porter sur le passé comme sur l'avenir :

Fu ainz maiss gent tant eüst paine ?

Y eut-il jamais d'êtres à éprouver tant de peines ? (Bé 1784).

b) passe au sens adversatif ; l'exemple suivant associe deux *mais* :

Mais n'en poon or mais el faire

= mais nous ne pouvons plus désormais faire autre chose (Bé 3631)

N'i out mot dit, ce vos plevis,
mais mervellos complaignement

= on n'y parla pas, je vous le garantis, mais on se plaignit étrangement (Bé 354-5).

2) *Adverbes*

AINZ (OU EINZ)

Adverbe, préposition (*ainz jor* = avant le jour) et locution conjonctive quand il est joint à *que* (*ainz que* = avant que, plutôt que) ; d'origine temporelle comme *mais*, qui peut le remplacer en certains cas :

a) du sens temporel passe au sens de « plutôt » :

Ainz me lairoie par le col
pendre a un arbre

= je me laisserais plutôt pendre à un arbre par le cou (Bé 128-9).

b) et de là au sens adversatif :

Qui de bon cuer le servira
ja sa peine ne perdera,
ains sera es chieus couronnés

= qui le servira loyalement ne perdra jamais sa peine, mais sera couronné dans les cieux (Ni 478-80).

N. B. *Ainçois* est synonyme de *ainz*, tandis que *ainc* est synonyme de *onques* et correspond au moderne « jamais » :

Mes ainc de ce samblant ne fist,
ainçois otroia et promist... (Cha 663-4).

Les scribes confondent souvent *ainz* avec *ainc.*

SI

Adverbe (< *sic* latin) qu'il faut bien distinguer de la conjonction de condition *se* (< *si* latin) *surtout quand certaines graphies* (surtout picardes) *les feraient confondre.* Outre son emploi particulier comme adverbe d'intensité, il est constamment employé avec les valeurs suivantes :

a) = ainsi :

Mais l'en puet home desveier,
faire mal faire et bien laisier :
si a l'on fait de mon seignor

= mais l'on peut égarer qqn., lui faire faire le mal et laisser le bien : c'est ce que l'on a fait pour mon mari (Bé 89-91).

b) = aussi :

Tristan se jut an la fullie ;
chau tens faisoit, si fu jonchie

= T. se coucha dans la hutte ; il faisait chaud, aussi l'avait-on jonchée (Bé 1729-30).

c) = pourtant :

Par foi, ja n'en dirai parole ;
et si vous dirai une rien

= ma foi, je n'en parlerai pas ; et pourtant je vous dirai une chose (Bé 178-9).

d) = alors :

Se je vos ment, si *me pendez* (Bé 4276).

e) = et
(après les vers 178-9 cités plus haut) :

si vuel que vos le saciés bien (Bé 180).

Après ces diverses valeurs assez précises de *si*, il faut ajouter que cet adverbe, très fréquent en ancien français, a souvent un sens si ténu qu'on ne peut le traduire :

Car vous avés passé argent,
s'estes du plus fin or d'Arrabe

= car vous êtes mieux que d'argent, vous êtes du plus pur or d'Arabie (Ni 142-3).

N. B. 1) Il a été question plus haut de l'emploi de *si* dans les réponses, p. 126.

2) Nous renvoyons à la *Petite Syntaxe* de M. Foulet (par. 496) pour un emploi assez particulier de *si*, équivalent d'une conjonction de temps au sens de « jusqu'à ce que » ; c'est le *si* « épique » :

N'en turnerat, si sera prise

= il ne s'en retournera pas avant que la ville ne soit prise (Gui 876).

3) La formule courante *se Dieus m'aït* (= aussi vrai que je demande à Dieu de m'aider) n'autorise pas une confusion entre *si* et *se* ; on avait à l'origine *si m'aït Dieus* = que Dieu m'aide ainsi, à cette condition ; la formule précédente est plus récente.

DONC

a) adverbe de temps qui signifie « alors » et passe de ce sens au sens moderne de « donc » ; on peut hésiter parfois entre les deux sens, ici par exemple :

Quant or verra la nostre court,
adonc verra si desconfort ;
donc voudroit micus morir que vivre ;
donc suvra bien Yseut la givre...

= quand elle verra notre « cour », alors elle verra tant de misère ; alors elle préférerait la mort à la vie ; alors Yseut la vipère saura bien... (Bé 1211-4).

b) adverbe relatif dont il a déjà été question p. 67 et 72.

N. B. La langue moderne distinguera soigneusement un *donc*, un *dont* et un *d'où*.

C. — Quelques prépositions

Nous ne pouvons envisager ici que quelques indications sur des prépositions particulièrement importantes et sur quelques points seulement où l'écart est grand entre l'ancien français et le français moderne. *Nous n'épuisons donc pas les emplois des prépositions suivantes* :

A

— S'emploie souvent au sens de « avec » ; de même *atout* :

a pou de gent — *atot sa gent*
= avec peu de monde ; = avec sa « maison ».

— Introduit parfois un attribut :
il se tenoit a mon ami (Cha 800).

CONTRE

= en direction de, à la rencontre de :

...vit issir sa niece
et contre lui venir

= il vit sortir sa nièce, il la vit aller au-devant du chevalier (Cha 393-4).

DE

Entre autres emplois, introduit un complément de comparaison : voir p. 42. — Sur *de* partitif, voir p. 35.

= à propos de, au sujet de :

De lui me pensoie... (Cha 799)
...j'esgart vostre contenance
et de cointise et d'autre rien

= je considère votre comportement en fait de galanterie et pour le reste (Cha 250-1).

— Parfois, le complément peut se trouver en quelque sorte « dédoublé » et figurer prématurément dans la principale (« prolepse ») :

De vostre chambrelan vos proi
que l'envoiez aveques moi

= pour votre chambellan, je vous prie de l'envoyer avec moi (Floi 948-9).

O (OU OD)

(< *apud*) = avec :

aler o vous en ceste voie (Cha 362).

PAR

— au sens temporel ou local :

par matin = au matin — *par la terre* = à travers la terre

— avec un complément de manière :

Je voudroie vostre amor
avoir par bien et par honor

= en tout bien tout honneur (Cha 89-90).

N. B. Ne pas confondre avec *par* adverbe « augmentatif » :

Ha ! Mort, tant par ies enuieuse !

— Ha ! Mort, tu es si fort cruelle ! (Floi 748).

POR

— note la cause plus souvent qu'aujourd'hui :

Je ferai de moi justise
por la trahison que j'ai fete (Cha 894-5)

— présente assez fréquemment une valeur concessive :

. . . . por morir
ne poïst plus ce duel sofrir

= quand elle devrait mourir, elle ne pourrait plus souffrir ce chagrin (de son fils) (Floi 810-1).

SOR

— marque la supériorité :

sor toz les autres

= plus que tous les autres.

— signifie « en sus de »

e sur celë autre en menez

= et en plus de celle-là vous en emmenez une autre (Eli 836).

VERS

= à l'égard de :

(trahison) *vers mon droit seignor natural* (Cha 98).

D. — Conjonctions de subordination

Le fait essentiel à noter, c'est la création par l'ancienne langue de multiples conjonctions (souvent éphémères) pour compenser la disparition des conjonctions du latin : *quatre* conjonctions seulement sont héritées, *se*, *quant*, *com*(*me*), *que*.

Nous traiterons d'abord de la conjonction *que* ; nous passerons en revue ensuite quelques-unes des conjonctions les plus courantes, et qui n'ont pas le sens moderne.

QUE (ou KE, parfois C'*)

Expression de la conjonction

Nous n'avons pas à envisager ici l'emploi tout normal du subjonctif sans *que*, dans l'expression d'un souhait ou d'un ordre. Mais dans bien d'autres cas où on l'attendrait vu la syntaxe moderne, la conjonction *que* n'est pas exprimée de façon régulière en ancien français :

a) Une conjonction quelconque n'est pas répétée, mais n'est pas non plus reprise par *que* en tête d'une seconde subordonnée de même sorte, il en est de même souvent en prose :

(*) **Seulement devant *a* ou *o*.**

Terre, comment me pues tu porter ne sous-
[tenir
quant *j'ai Dieu renoié et celui voil tenir*
a seignor et a mestre qui toz maus fet venir ?

= quand j'ai renié Dieu et (que) je veux tenir pour seigneur et pour maître celui qui provoque tous les maux (Th 385-7).

b) La conjonction d'objet *que* n'est pas toujours exprimée après des verbes comme *cuidier*, *jurer*, *penser*, *promettre*, *sambler*, *savoir*, *voloir* :

Lors me samble serpent et guivre
me menjue le cuer el ventre

= alors il me semble qu'un serpent et une vipère me mangent le cœur (Th 273-4)

Deu te jur et la loi de Rome,
se Tristan l'aime folement,
a lui vendra a parlement

= je te jure Dieu et la loi chrétienne que si T. l'aime d'amour coupable, il ira s'entretenir avec elle (Bé 660-2)

.... *et si penssa,*
s'ele puet, bien s'en vengera

= et elle songea qu'elle s'en vengerait bien, si elle pouvait (Cha 105-6).

c) Ni après des verbes comme *garder*, *ne laier*, *ne muer* dans des subordonnées au subjonctif (marquées par *ne* « explétif ») :

Ne laira n'en face justise

= il ne manquera pas d'en faire justice (Bé 1127).

d) Dans les subordonnées de conséquence, *que* n'est pas toujours exprimé après ses corrélatifs *si*, *tant* :

Tant *vous ai eü en memoire*
tout ai doné et despendu
= je vous ai si bien eu en pensée que j'ai tout donné et dépensé (Th 2-3)

Or ne laira qu'au nain ne donge
o s'espee si *sa merite*
par lui n'iert mais traïson dite
= à présent il ne manquera pas de donner au nain avec son épée ce qu'il mérite, de telle sorte qu'il ne dira plus désormais de calomnie (c'est-à-dire que le roi le tuera) (Bé 292-4).

e) Dans des cas où la logique voudrait un *que* d'objet et un autre *que* de comparaison ; on n'en exprime qu'un seul :

Encor ainme je mius que je muire ci que *tos li pules me regardast demain a merveilles*
= j'aime encore mieux mourir ici que si tout le peuple me regardait demain avec étonnement (au pilori) (Auc XVI, 13-14).

N. B. Par contre, *que* se trouve souvent répété après une incise, même en prose (et pourra l'être jusqu'au XVIIe siècle) :

La somme del conseil fu tels que, *se Johannis venoit mais*, que *il istroient*
= la conclusion fut qu'ils sortiraient si jamais J. venait (Vil 356)

Ainçois otroia et promist
au duc a si celer ceste oevre
que, *se c'est qu'ele le descuevre*,
que *il la pende a une hart*
= auparavant elle accorda et promit au duc de cacher cette affaire de sorte que, si c'est elle qui la découvre, il peut la pendre (Cha 664-7).

Valeurs de QUE

a) adverbe relatif, il a généralement valeur temporelle :

jor que *je vive* (Bé 37)
. . . . . .li troi an
que *cil vin fu determinez*

= les trois ans auxquels furent limités les effets de ce vin (Bé 2148-9) ;

b) adverbe exclamatif et interrogatif (considéré comme relatif ou conjonction au regard de l'ordre des mots) :

Ke *j'ai sommeilliét* ! (Feu 876)
Eswardés k'*il hoche le kief* !

= regardez comme il branle la tête ! (Feu 532) ;

c) adverbe de comparaison dans les comparaisons d'inégalité*.

Devant les pronoms, il est toutefois en concurrence avec *de* qui est plus souvent employé :

Nus ne vous menra mieus de *moi* (Feu 886)

mais on trouvera parfois *que* :

Ke je l'amoie mieus ke *mi* (Feu 154) ;

d) conjonction introduisant la subordonnée d'objet ; son emploi n'appelle pas d'autres observations que celles qui ont été faites déjà ;

e) conjonction de cause, à peu près synonyme de *car*, peut-être plus faiblement logique que lui ; voir p. 131 ;

(*) Dans les comparaisons d'*égalité*, c'est *com*(*me*) que l'on emploie en principe jusqu'au XVIe siècle : *autant com cil* = autant que lui.

f) conjonction de but, suivie du subjonctif :

et qu'il la lise
devant le pueple en sainte yglise,
que *bone gent n'en soit sorprise*

= pour que le bon peuple ne soit pas trompé par là (Th 592-4) ;

g) conjonction de conséquence :

Et lor mesons rest si obscure
c'*on n'i verra ja soleil luire* (Th 118-9) ;

On peut joindre aux subordonnées de conséquence, avec lesquelles elles ont des affinités, les propositions introduites par *que ne* (= sans que), après une principale négative :

Ne ne porra none passer
qu'*el* n'*ait einçois l'ame rendue*

= et l'heure de none ne pourra passer sans qu'elle ait rendu l'âme auparavant (Cli 5690-1).

h) conjonction de condition :

Et nonporcant ki seroit loials amis,
k'*il ne fust fols ne vilains ne mal apris*

= et pourtant celui qui serait un ami loyal, pourvu qu'il ne fût... (Mu XI, 18-19, cité par M. FOULET).

N. B. *Que* conjonction est souvent annoncé dans la principale (au contraire de *que* relatif),

a) par un démonstratif neutre :

S'or savoit ceste chevauchie,
cel *sai je bien que ja resort,*
Tristan, n'avreie contre mort

= s'il savait à présent cette équipée, je sais bien que je n'aurais plus de ressources contre la mort (Bé 184-7) : *cel* annonce *que* ;

b) par un autre pronom :

> ....*Deu* en *mercie*
> *que plus n'i out fait o s'amie*

= il remercie Dieu que son amie et lui n'aient pas été plus loin (Bé 383-4) : *en* annonce *que.*

Quelques autres conjonctions

ainz que/ainçois que

Ainz que signifie soit *avant que* :

> *Mult i dona ainz k'il s'en turt*,

il lui fit beaucoup de présents avant son départ (Gui 50)

soit *plutôt que* :

> *Morir viaut ainz que il s'an aut*,

il préfère mourir plutôt que de s'en aller (Yv 1540).

mais que (mes que)

Mais que, avec l'indicatif, signifie *si ce n'est que* :

> *Or n'i a donc nule autre chose*
> *mes que je l'aim et soe sui*

= sauf que je l'aime et que je suis sienne (Cli 1036-7)

Avec le subjonctif, *mais que* a parfois le sens précédent, mais plus souvent une valeur conditionnelle : *pourvu que* :

> *Vez ci que je vous faz hommage*,
> *mais que je raie mon domage*

= voici que je vous fais hommage, pourvu que je récupère ce que j'ai perdu (Th 242-3).

(LA) OU

On distinguera de la relative la subordonnée de temps introduite par *la ou* (qqf. *ou* seul) :

La ou Cligés vint sor le fauve,
n'i ot ne chevelu ne chauve
qui a mervoilles ne l'esgart

= quand C. vint sur le destrier fauve, il n'y eut chevelu ni chauve qui ne le regardât avec étonnement (Cli 4717-9).

POR CE QUE

Avec l'indicatif, au sens de *parce que* :

Il est molt bons, et jel vos doing
por che que *je n'en ai mais soing*

= il est fort bon, et je vous le donne parce que je ne m'en soucie plus (Gr 1195-6).

Avec le subjonctif, au sens de *pour que*, *afin que* :

S'irai presenter mon servise
au roi qui Bretaingne justise,
por ce que *chevalier me face*

= et j'irai offrir mes services au roi qui gouverne la (Grande) Bretagne pour qu'il me fasse chevalier (Cli 111-3)

mais aussi au sens de *au cas où* :

. . . .sachiez bien que je ne porroie
jusqu'a set jors vivre çaiens....
por che que *je ne m'en ississe*
toutes les fois que je volsisse

= sachez bien que je ne pourrais vivre ici sept jours si je ne pouvais en sortir toutes les fois que je voudrais (Gr 8028-32).

POR QUE

n'a que le dernier sens (conditionnel) de la locution précédente et peut se traduire le plus souvent par *pourvu que*, *pour peu que* :

> *Ne me savroiz ja demander*
> *chose nule*, por que *je l'aie*,
> *que vos ne l'aiez sanz delaie*

= jamais vous ne me demanderez quoi que ce soit sans l'obtenir aussitôt, pourvu que je l'aie (Char 6594-6)

PUIS QUE

signifie *après que*, *depuis que* :

> *Et certes* puis que *vos meüstes*
> *de vostre hostel...*

= et certes depuis que vous avez quitté votre logis (Gr 1903)

QUANT

a le sens moderne de *quand*, *lorsque*, mais signifie le plus souvent *puisque* :

> *Bien devrïez et par reison*
> *vostre ostel prandre an ma meison*,
> quant *vos estes filz Lac le roi*

= vous devriez bien et à juste titre vous loger dans ma maison, puisque vous êtes le fils du roi Lac (Er 1255-7)

QUE QUE

construit avec l'indicatif, signifie *tandis que* :

> Que qu'*il chancele*, *Erec le bote*

tandis qu'il chancelle, Erec le pousse (Er 979) ;

mais, avec le subjonctif, *quoique* :

> « *Dame, fet il,* que qu'*il me griet,*
> *trestot me plest quanque li siet*

= quelque peine que j'en aie, tout ce qui lui convient me plaît (Yv 4599-600).

SE

— *Se* se construit couramment (comme *si* aujourd'hui) avec un indicatif présent ou passé composé, associé à un présent ou à un futur dans la principale :

> *Se je vos ai fol apelé,*
> *je vos pri qu'il ne vos an poist*

= si je vous ai traité de fou, je vous prie de ne pas vous en fâcher (Yv 586-7).

— Dans le tour hypothétique qui vise l'*avenir* ou le *présent*, *se* se construira le plus souvent avec un indicatif imparfait (comme *si* aujourd'hui), associé à un « conditionnel présent » dans la principale :

> *. . . . se il pooit estre,*
> *ou par pertuis ou par fenestre*
> *verroie volantiers la fors*

= si c'était possible, je regarderais volontiers là-dehors (Yv 1271-73).

— Quand *se* engage une hypothèse qui porte sur le *passé*, on trouvera sans exception le subjonctif imparfait dans la subordonnée, et le subjonctif imparfait ou plus-que-parfait dans la principale :

> *Et, Dex ! con grant joie an eüst*
> *Alixandres, s'il le seüst*

= Dieu ! quelle grande joie en aurait eue Alexandre, s'il l'avait su (Cli 1163-64).

— Mais le même subjonctif imparfait dans la subordonnée et la principale est employé aussi pour viser le *présent*, de sorte que le contexte seul permet de décider entre deux traductions possibles :

Ja tant sovant nel remanbrasse,
se plus d'un autre ne l'amasse

pourrait signifier « je ne me serais pas souvenue de lui si souvent, si je ne l'avais aimé plus qu'un autre » ; mais le contexte prouve qu'il s'agit du présent : « Je ne me souviendrais pas de lui..., si je ne l'aimais... » (Cli 919-920).

DE SI QUE (DE CI QUE)

Ecrit habituellement par *si* ; signifie *jusqu'à ce que* :

Jamés ses cors repos n'avroit
de si que *il l'avroit trouvee*

= il n'aurait pas de cesse jusqu'à ce qu'il l'eût trouvée (Floi 659-60).

TANTOST COM

signifie *aussitôt que* :

Tantost come *il ot conmandé*

= dès qu'il en eut donné l'ordre (Floi 2495).

TANT QUE

de consécutif peut devenir temporel et signifier *jusqu'à ce que* ; il est construit avec le subjonctif souvent :

Si vus i plest a demurer
tant que *vus meuz pussez errer*

= s'il vous plaît d'y demeurer jusqu'à ce que vous puissiez voyager dans de meilleures conditions (*si* = *se*, *meuz* = *mieuz*) (Gui 355-6).

XI. — L'ORDRE DES MOTS

Comme on l'a vu, l'existence d'une déclinaison rend possible une grande liberté dans l'ordre des mots et des groupes de mots, tandis qu'en français moderne, en principe, la place d'un groupe de mots tient à sa fonction. En ancien français, le style peut donc avoir plus d'influence ici que la syntaxe.

Il y a cependant deux points essentiels à noter :

a) *la présence en tête de la proposition d'un complément quelconque fait passer le sujet derrière le verbe* (postposition), à moins que ce complément ne soit un relatif :

Tout oï li dus *a l'entree*
= le duc entendit tout à l'entrée (Cha 420)

... celui qui j'amoie (*qui*, pure graphie pour *cui*)
= celui que j'aimais (Cha 739)

L'adverbe et la locution adverbiale (mais non la conjonction) sont considérés à cet égard comme un complément et entraînent donc la postposition du sujet s'ils ouvrent la proposition :

La vit li dus... (Cha 465)
Quant li dus *vit clorre l'uisset* (Cha 477)

Il y a des exceptions : *neporquant*, *certes*, *onques*, *car* sont considérés comme des conjonctions à l'égard de l'ordre des mots :

Car j'*ai o moi ce que je vueil*
= car j'ai avec moi ce que je veux (Cha 416)

Mais on ne confondra pas avec un sujet le *complément* du verbe pronominal :

Ou pour noient nous *travaillons*
= à propos de qui nous *nous* donnons du mal pour rien (Feu 719)

b) *le sujet qui serait placé après le verbe est très fréquemment négligé, et on ne l'exprime pas* (surtout quand ce serait un pronom personnel, surtout dans les principales, et même dans les propositions interrogatives)

D'iluec vit (il) *en la chambre entrer*
le chevalier
= de là il vit le chevalier entrer dans la chambre (Cha 392-3)

Que poëz (vous) *estre devenu* ? (Cha 756)

Constructions diverses

A partir des trois éléments : *sujet*, *verbe*, *complément*, six combinaisons théoriques sont possibles qui ont été en particulier étudiées de très près par M. Foulet dans sa *Petite Syntaxe* ; du point de vue où nous nous plaçons, nous nous bornerons aux remarques suivantes, en renvoyant le lecteur à l'ouvrage en question.

Deux constructions sont très courantes au XIIIe siècle :

a) l'ordre moderne : sujet-verbe-complément ; il n'appelle pas de remarque ;

b) l'ordre complément-verbe-sujet, s'il est permis toutefois d'englober dans les « compléments » adverbes et locutions adverbiales (*) :

(*) Répétons que le sujet qui devrait être postposé, dans un très grand nombre de propositions n'est pas exprimé du tout.

Tantost a la voie se met
li chevaliers...

= le chevalier se met en chemin aussitôt (Cha 384-5)

Une construction est d'extension limitée :

c) l'ordre sujet-complément-verbe :

Li chevaliers en tel maniere
s'en part, et la dame l'uis clot

= le chevalier se sépare d'elle ainsi et la dame ferme la porte (Cha 472-3)

Deux constructions sont spécialisées :

d) l'ordre complément-sujet-verbe, qui n'apparaît guère que dans les subordonnées relatives qui s'ouvrent par un pronom relatif complément ; elle a du reste survécu en français moderne :

(la dame) *que li chevaliers tant ama* (Cha 21)

e) l'ordre verbe-sujet-complément, qui est propre aux propositions interrogatives sous la réserve que nous avons faite à propos des propositions de type *b*), mais peut s'employer dans d'autres cas :

Savoit nus, fors vous dui, ceste oevre ?

= quelqu'un savait-il cela en dehors de vous deux ? (Cha 346) (*)

N. B. Pour la place du complément du nom, voir p. 25 ; pour celle de l'adjectif, p. 39 ; pour celle du complément de l'infinitif, N. B. 3, p. 30, et § D, p. 55.

(*) La construction verbe-complément-sujet est rare.

XII. — LA VERSIFICATION

Les mètres

Le plus ancien des vers français est l'octosyllabe calqué sur le vers latin des Hymnes, vers à quatre temps. Il apparaît dans la *Passion* de Clermont et la *Vie de saint Léger* au xe siècle ; il demeure d'un emploi très courant au xiie et au xiiie siècles ; c'est le vers de la poésie didactique, mais surtout c'est le vers des romans. Les poèmes dramatiques utilisent les autres types de vers, mais l'octosyllabe y domine.

Les octosyllabes riment généralement deux à deux, mais le mouvement de la phrase les groupe souvent par quatre ou par six. L'octosyllabe est en effet « couplé », jusqu'en plein xiie siècle, l'unité n'étant pas alors l'octosyllabe, mais la paire d'octosyllabes unis par la rime et par le sens à la fois, scandés d'un rythme de 4+4+4+4. Au xiie siècle, l'octosyllabe est devenu plus libre et plus souple, il ne comporte plus normalement de césure, mais le rejet est rare. C'est Chrétien de Troyes, semble-t-il, qui dissociera le système des rimes du mouvement de la phrase, et il saura tirer de cette rupture certains effets expressifs. Toutefois on rencontre encore souvent, même chez lui, l'ancien couplet d'octosyllabes.

Le décasyllabe est plus récent que l'octosyllabe ; nous le rencontrons pour la première fois au xie siècle dans la *Vie de saint Alexis*. Ce vers (qui sera encore utilisé par Ronsard dans sa *Franciade*) est par excellence le vers épique, celui des Chansons de geste. Structure habituelle 4+6. Dans certains textes peu nombreux (*), on trouve un décasyllabe dont c'est le premier segment qui est le plus long : 6+4, mais ces deux types de décasyllabe ne sont pas mêlés dans les textes qui, normalement, demeurent homogènes.

L'alexandrin est le plus récent des trois mètres puisqu'il n'apparaît qu'au XIIe siècle, dans le *Pèlerinage de Charlemagne* ; il tire son nom du *Roman d'Alexandre*, œuvre d'ALEXANDRE DE PARIS qui a consacré sa vogue. L'alexandrin est coupé à l'hémistiche, 6+6. Il n'admet pas le rejet, non plus que le décasyllabe.

Les Chansons de geste groupent soit les décasyllabes, soit les alexandrins en « laisses » assonancées, de longueur très variable puisqu'elles vont de quelques vers jusqu'à deux cents sur la même assonance. Dans quelques textes, l'alexandrin se mêle au décasyllabe.

On rencontre bien d'autres mètres dans la poésie lyrique, mais nous ne pouvons pas les envisager ici.

LES SYLLABES

S'il n'est pas élidé, un *e*, « muet » pour nous, compte dans la mesure du vers comme dans le vers classique : toutefois il ne compte pas plus à la césure qu'au bout du vers dans la règle « épique » :

> *Segnieur, el Dieu servi(che) / soit hui chascuns offers* (Ni 405) ;

Même cas dans un décasyllabe (coupé 6+4), à la césure comme en fin de vers :

(*) Aiol, Girart de Roussillon.

Ne te recroire mi(e)/mais serf encor(e) (Ni 1276) ;

— On parle au contraire de « césure lyrique » quand la syllabe féminine compte à la césure :

Douce dame/pregne vos en pitiez (Mu VII, 11)

— On distinguera la diphtongue, qui ne vaut qu'une syllabe, des cas de diérèse, où deux voyelles se font entendre et où il y a par conséquent deux syllabes : les éditeurs modernes les notent souvent par un tréma :

« *Est il tout purs, si t'aït Dieus* ?
— *Oïl, foi que je doi saint Jake* ! » (Ni 750-1)

Aït (qui est le subj. présent du verbe *aidier*) et *oïl* valent deux syllabes, tandis que *Dieus*, *foi* et *doi*, *saint* sont monosyllabiques puisqu'ils comportent chacun une diphtongue.

L'hiatus ne pose aucune question dans l'ancienne versification ; il y est toujours admis :

Ge l'en crui et si fis que fous (Bé 273)

L'élision (*) est de règle pour les mots de plusieurs syllabes, mais il n'en est pas de même pour les monosyllabes :

S'élident régulièrement :

— les articles *le* et *la* ;
— les pronoms personnels *me*, *te*, *se*, *le*, *la*, devant le verbe ;

(*) Il a été question de l'enclise à propos de l'article et du pronom, voir p. 29 et p. 47.

— les possessifs *ma*, *ta*, *sa* ;
— la particule négative *ne* ;
— la préposition *de* ;

L'élision est facultative pour :

— l'article singulier *li* ;
— les pronoms *me*, *te*, *se*, *le*, *la*, après le verbe ;
— les pronoms *qui* et *que* ;
— la conjonction *se* ;
— l'adverbe *si* ;
— la particule de coordination *ne*.

Laisse, assonance et rime

La laisse est l'élément organique de la Chanson de geste ; courte dans les Chansons les plus anciennes (d'une dizaine à une vingtaine de vers), elle s'est amplifiée au cours du XIIe siècle jusqu'à dépasser la centaine de vers. Elle constitue une unité au point de vue du récit comme au point de vue musical, soulignée par la répétition de la même assonance, — qui diffère d'une laisse à la suivante ; ses vers s'achèvent tous sur la même voyelle ou diphtongue tonique, quelles que soient les consonnes qui l'avoisinent * ; telle est l'assonance masculine, la plus courante à l'origine, en *a*, en *e* fermé, en *o* ouvert, etc. Dans le cas de l'assonance féminine, la voyelle tonique est suivie d'une syllabe de voyelle atone *e* ; la laisse suivante est de ce type, en *i-e* :

(*) La consonne *n* toutefois peut jouer un rôle dans l'assonance.

Guenes respunt : « Pur mei n'iras tu mie.
Tu n'ies mes hom, ne jo ne sui tis sire.
Carles comandet que face sun servise,
En Sarraguce en irai a Marsilie :
Einz i ferai un poi de legerie
que jo n'esclair ceste meie grant ire ».
Quant l'ot Rollant, si cumençat a rire (Roland XXI)

Les chansons de geste anciennes sont assonancées, mais la plupart des autres textes poétiques sont rimés. Si l'assonance est l'homophonie de la dernière voyelle (accentuée), la rime médiévale n'est pas aussi riche que la rime classique et ne se distingue souvent de l'assonance que parce qu'elle n'est pas indéfiniment répétée ; toutefois elle suppose bien en principe la présence d'une consonne « homophone » (prononcée en ancien français) au contact de la voyelle homophone, généralement après cette voyelle : voici une série de rimes prises au hasard dans *Erec*, v. 2271 ss. : *posteïs* : *asisvenist* : *tramist* - *conter* : *monter* - *noveles* : *puceles* - *soner* : *ancortiner* - *soie* : *joie* - *montez* : *contez* - *enorables* : *sables* - *cenz* : *baucenz* - *ot* : *pot* - *corrurent* : *conurent* - *lui* : *ambedui.*

Rime mnémonique. — Les auteurs dramatiques du XIIIe siècle ont utilisé un procédé ingénieux pour alerter les acteurs aux changements de réplique et enchaîner leur intervention : ils terminent la tirade sur un vers qui laisse la rime en suspens et appelle la rime du premier vers de la réplique suivante ; par exemple dans le *Jeu de Saint-Nicolas* (909-912) :

Cliquet : *En'ai je trois poins plus de ti ?*

PINCEDES : *Met jus les deniers, je t'en pri,*
ains que li casee m'esmoeve !

CLIQUET : *Maudehé ait qui che me roeve* !

M. NOOMEN paraît bien avoir démontré qu'il s'agit là d'un artifice professionnel introduit par les jongleurs lorsqu'ils prirent le relais des clercs dans les compositions dramatiques, au début du XIIIe siècle.

INDEX

A

B

C

D

E

F

G

T

X

Z

TABLE DES ABRÉVIATIONS

Am *Les deus amanz* (MARIE DE FRANCE, *Lais* : éd. A. Ewert, Oxford, 1947).

Auc. *Aucassin et Nicolette* (éd. M. Roques, 2e éd., Paris, 1936).

Ba *Le Chevalier au barisel* (éd. F. Lecoy, Paris, 1955).

Bé BÉROUL, *Tristan* (éd. A. Ewert, Oxford, 1953).

Cha *La Chastelaine de Vergi* (éd. F. Whitehead, Manchester, 2e éd. 1951).

Char CHRÉTIEN DE TROYES, *Le Chevalier de la charrete* (éd. M. Roques, Paris, 1958).

Cli CHRÉTIEN DE TROYES, *Cligès* (éd. A. Micha, Paris, 1957).

Eli *Eliduc* (éd. des *Lais* comme ci-dessus).

Ené *Enéas* (éd. J. J. Salverda de Grave, Paris, 1925 et 1929).

Eq *Equitan* (éd. des *Lais* comme ci-dessus).

Er CHRÉTIEN DE TROYES, *Erec* (éd. M. Roques, Paris, 1953).

Feu ADAM DE LA HALLE, *Le Jeu de la Feuillée* (éd. Langlois, 2e éd., Paris, 1951).

Floi *Floire et Blancheflor* (éd. Miss M. Pelan, Paris. 2e éd., 1956).

Fo Be *La Folie Tristan de Berne* (éd. E. Hoepffner, Paris, 2e éd., 1949).

Fo Ox *La Folie Tristan d'Oxford* (éd. E. Hoepffner, Paris, 2e éd., 1943).

Gra CHRÉTIEN DE TROYES, *Le roman de Perceval, ou le conte du Graal* (éd. W. Roach, Genève, 1956).

Gui *Guigemar* (éd. des *Lais* comme ci-dessus).

Guill. d'A. *Guillaume d'Angleterre* (attribué à Chrétien), (éd. M. Wilmotte, Paris, 1927).

Lan *Lanval* (éd. des *Lais* comme ci-dessus).

Mi *Milun* (éd. des *Lais* comme ci-dessus).

Mu Colin Muset, *Chansons* (éd. J. Bédier, Paris, 2e éd., 1938).

Ni Jean Bodel, *Le Jeu de Saint Nicolas* (éd. A. Jeanroy, Paris, 1925).

Ques *La Queste del Saint Graal* (éd. A. Pauphilet, Paris, 1949).

Th Rutebeuf, *Le miracle de Théophile* (éd. Mme G. Frank, 2e éd. 1949).

Thè *Le Roman de Thèbes* (C. F. M. A., Paris, 1966).

Vil Villehardouin, *La Conquête de Constantinople* (éd. E. Faral, Paris, 1939).

Yo *Yonec* (éd. des *Lais* comme ci-dessus).

Yv Chrétien de Troyes, *Yvain* (éd. T. B. W. Reid, Manchester, 1952).

TABLE DES MATIÈRES

OUVRAGES PARUS
DANS LA COLLECTION « LITTÉRATURE »

AMOSSY (R.). — Parcours symboliques chez Julien Gracq.

AMOSSY (R.) et ROSEN (E.). — Le Discours du cliché.

AUBAILLY (J.-C.). — **La farce de Maistre Pathelin** (Bibliothèque du Moyen Age).

AULOTTE (R.). — Montaigne : **Apologie de Raimond Sebond.**

AULOTTE (R.). — Mathurin Régnier : **Les Satires.**

BACQUET (P.). — Le **Jules César** de Shakespeare.

BARRÈRE (J. B.). — Le regard d'Orphée ou l'Echange poétique.

BARRÈRE (J.B.). — Claudel. Le destin et l'œuvre.

BARRÈRE (J.B.). — Victor Hugo. L'homme et l'œuvre.

BAUMGARTNER (E.). — L'arbre et le pain. Essai sur la Queste del Saint-Graal (Bibliothèque du Moyen Age).

BORNECQUE (P.). — La Fontaine fabuliste (2e édition).

BOUILLIER (H.). — Portraits et miroirs : Retz, Saint-Simon, Chateaubriand, Michelet, les Goncourt, Proust, Léon Daudet, Jouhandeau.

BRUNEL (P.). — L'évocation des morts et la descente aux Enfers : Homère, Virgile, Dante, Claudel.

CASTEX (P.-G.). — Alfred de Vigny : **Les Destinées** (2e édition).

CASTEX (P.-G.). — **Le Rouge et le Noir,** de Stendhal (2e édition).

CASTEX (P.-G.). — **Sylvie,** de Gérard de Nerval.

CASTEX (P.-G.). — **Aurélia,** de Gérard de Nerval.

CASTEX (P.-G.). — **Les Caprices de Marianne,** d'Alfred de Musset.

CASTEX (P.-G.). — **On ne badine pas avec l'amour,** d'Alfred de Musset.

CASTEX (P.-G.). — Flaubert : **l'Education sentimentale.**

CASTEX (P.-G.). — **Micromégas, Candide, l'Ingénu,** de Voltaire.

CAZAURAN (N.). — **L'Heptaméron,** de Marguerite de Navarre.

CELLIER (L.). — L'épopée humanitaire et les grands mythes romantiques.

CHOUILLET (J.). — Diderot.

COHEN (M.). — Le subjonctif en français contemporain.

COHEN (M.). — Grammaire française en quelques pages.

COIRAULT (Y.). — Saint-Simon, **Mémoires,** août 1715.

CRASTRE (V.). — A. Breton : Trilogie surréaliste. **Nadja, Les Vases communicants, L'Amour fou.**

DECAUDIN (M.). — **Les Poètes maudits,** de Paul Verlaine.

DEDEYAN (Ch.). — L'Italie dans l'œuvre romanesque de Stendhal. — Tomes I et II.

DÉDÉYAN (Ch.). — J.-J. Rousseau et la sensibilité littéraire à la fin du XVIIIe siècle.

DÉDÉYAN (Ch.). — Gérard de Nerval et l'Allemagne. — Tomes I et II.

DÉDÉYAN (Ch.). — Le cosmopolitisme littéraire de Charles du Bos. Tomes I, II et III.

DÉDÉYAN (Ch.). — Le nouveau mal du siècle de Baudelaire à nos jours. Tomes I et II.

DÉDÉYAN (Ch.). — Lesage et **Gil Blas.** Tomes I et II.

DÉDÉYAN (Ch.). — Racine : **Phèdre** (2e édition).

DÉDÉYAN (Ch.). — Le cosmopolitisme européen sous la Révolution et l'Empire. Tomes I et II.

DÉDÉYAN (Ch.). — Le drame romantique en Europe.

DÉDÉYAN (Christian). — Alain-Fournier et la réalité secrète.

DELOFFRE (F.). — La phrase française (4e édition).

DELOFFRE (F.). — Le vers français (3e édition).

DELOFFRE (F.). — Stylistique et poétique françaises (3e édition).

DELOFFRE (F.). — Eléments de linguistique française.

DERCHE (R.). — Études de textes français :
Tomes II, III, IV, V et VI.

DONOVAN (L.-G.). — Recherches sur **Le Roman de Thèbes.**

DUFOURNET (J.). — La vie de Philippe de Commynes.

DUFOURNET (J.). — Les écrivains de la quatrième croisade. Villehardouin et Clari. Tomes I et II.

DUFOURNET (J.). — Recherches sur le **Testament** de François Villon. Tomes I et II (2e édition).

DUFOURNET (J.). — Adam de la Halle à la recherche de lui-même ou le jeu dramatique de la Feuillée.

DUFOURNET (J.). — Sur **Le jeu de la Feuillée** (Bibliothèque du Moyen Age).

DUFOURNET (J.). — Sur Philippe de Commynes. Quatre études. (Coll. Bibliothèque du Moyen Age.)

DURRY (Mme M.-J.). — G. Apollinaire, **Alcools.** Tomes I, II et III.

FORESTIER (L.). — Chemins vers **La Maison de Claudine** et **Sido.**

FORESTIER (L.). — Pierre Corneille (2e édition).

FRAPPIER (J.). — Les Chansons de geste du Cycle de Guillaume d'Orange.
Tome I. — **La Chanson de Guillaume - Aliscans - La Chevalerie Vivien** (2e édition).
Tome II. — **Le couronnement de Louis - Le Charroi de Nîmes - La Prise d'Orange.**
Tome III. — **Les Moniages, Guibourc.**

FRAPPIER (J.). — Étude sur **Yvain ou le Chevalier au Lion** de Chrétien de Troyes.

FRAPPIER (J.). — Chrétien de Troyes et le Mythe du Graal. Etude sur Perceval ou le **Conte du Graal** (2e édition).

GARAPON (R.). — Le dernier Molière.

GARAPON (R.). — **Les Caractères** de La Bruyère. La Bruyère au travail.

GARAPON (R.). — Ronsard chantre de Marie et d'Hélène.

GARAPON (R.). — Le premier Corneille.

GIRAUD (Y.). et coll. — L'emblème à la Renaissance.

GRIMAL (P.). — Essai sur l'**Art poétique** d'Horace.

JONIN (P.). — Pages épiques du Moyen Age Français. Textes - Traductions nouvelles - Documents. **Le Cycle du Roi.** Tomes I (2e édition) et II.

LABLÉNIE (E.). — Essais sur Montaigne.

LABLÉNIE (E.). — Montaigne, auteur de maximes.

LAINEY (Y.). — Les valeurs morales dans les écrits de Vauvenargues.

LAINEY (Y.). — Musset ou la difficulté d'aimer.

LARTHOMAS (P.). — Beaumarchais. **Parades.**

LE RIDER (P.). — Le Chevalier dans le **Conte du Graal** de Chrétien de Troyes (Coll. Bibliothèque du Moyen Age).

MESNARD (J.). — Les **Pensées de Pascal.**

MICHEL (P.). — Continuité de la sagesse française (Rabelais, Montaigne, La Fontaine).

MILNER (M.). — Freud et l'interprétation de la littérature.

MOREAU (F.). — L'Image littéraire.

MOREAU (F). — Un aspect de l'imagination créatrice chez Rabelais.

MOREAU (F.). — Les images dans l'œuvre de Rabelais.

MOREAU (P.). — **Sylvie** et ses sœurs nervaliennes.

MOUTOTE (D.). — Egotisme français moderne.

MOZET (N.). — La ville de province dans l'œuvre de Balzac.

PAYEN (J.-Ch.). — Les origines de la Renaissance.

PICARD (R.). — La poésie française de 1640 à 1680. « Poésie religieuse, Epopée, Lyrisme officiel » (2e édition).

PICARD (R.). — La poésie française de 1640 à 1680. « Satire, Epître, Poésie burlesque, Poésie galante ».

PICOT (G.). — La vie de Voltaire. Voltaire devant la postérité.

RAIMOND (M.). — Le Signe des temps. **Le roman contemporain français.**

RAIMOND (M.). — Les romans de Montherlant.

RAIMOND (M.). — Proust romancier.

RAYNAUD DE LAGE (G.). — Introduction à l'ancien français (13e édition).

ROBICHEZ (J.). — Le théâtre de Montherlant. **La Reine morte, Le Maître de Santiago, Port-Royal.**

ROBICHEZ (J.). — Le théâtre de Giraudoux.

ROBICHEZ (J.). — **Gravitations** de Supervielle.

ROBICHEZ (J.). — Verlaine entre Rimbaud et Dieu.
ROBICHEZ (J.). — Sur Saint-John Perse.
ROSSUM-GUYON (van F.) sous la direction de. — Balzac et les **Parents pauvres.**
SAULNIER (V.-L.). — Les élégies de Clément Marot (2e édition).
SAULNIER (V. L.). — Rabelais.
Tome I. — Le **Quart** et le **Cinquième Livre.**
Tome II. — **La Sagesse de Gargantua.**
SOCIÉTÉ DES ÉTUDES ROMANTIQUES. — Histoire et langage dans **l'Education sentimentale** de Flaubert.
SOCIÉTÉ DES ÉTUDES ROMANTIQUES. — Nouvelles recherches sur **Bouvard et Pécuchet** de Flaubert.
SOCIÉTÉ DES ÉTUDES ROMANTIQUES. — Relire **les Destinées** d'Alfred de Vigny.
SOCIÉTÉ DES ÉTUDES ROMANTIQUES. — Balzac et **la Peau de Chagrin.**
SOCIÉTÉ DES ÉTUDES ROMANTIQUES. — La petite musique de Verlaine. **Romances sans paroles. Sagesse.**
SOCIÉTÉ DES ÉTUDES ROMANTIQUES. — **Minute d'éveil.** Rimbaud maintenant.
SOCIÉTÉ DES ÉTUDES ROMANTIQUES. — Le plus méconnu des romans de Stendhal : Lucien Leuwen.
SOCIÉTÉ DES SEIZIÉMISTES. — L'emblème à la Renaissance.
THERRIEN (M.-B.). — **Les Liaisons Dangereuses.** Une interprétation psychologique des trois principaux caractères.
TISSIER (A.). — **Les Fausses Confidences** de Marivaux.
TISSIER (A.). — **Tête d'or,** de Claudel.
TISSIER (A.). — La Farce en France de 1450 à 1550. Tomes I, II et III.
TRICOTEL (Cl.). — Histoire de l'amitié Flaubert-Sand. Comme deux troubadours.
VERNIÈRE (P.). — Montesquieu et **L'Esprit des Lois** ou la Raison impure.
VIAL (A.). — La dialectrique de Chateaubriand.
VIER (J.). — Le théâtre de Jean Anouilh.
WAGNER (R.-L.). — La grammaire française.
Tome I. — Les niveaux et les domaines. Les normes. Les états de langue.
Tome II. — La grammaire moderne. Voies d'approche. Attitudes des grammairiens.
WEBER (J.-P.). — Stendhal : les structures thématiques de l'œuvre et du destin.

ACHEVÉ D'IMPRIMER PAR
CORLET, IMPRIMEUR, S.A.
14110 CONDÉ-SUR-NOIREAU

N° d'Éditeur : 1064
N° d'Imprimeur : 4788
Dépôt légal : décembre 1984

Imprimé en France